LVERDADERAMENTE IBRES

MANUAL DE AUTO-LIBERACIÓN

David Mosquera - Isabel Mosquera

Publicado por
Bedaisa Holding LLC
Po.Box 442893
Miami, Florida, 33144
Derechos Reservados

Copyright © 2020
Primera edición 2020
ISBN 978-0-578-66285-5 Paperback
ISBN 978-0-578-66286-2 Ebook

Fotografía portada: Avalon Studio via Getty Images

Verdaderamente Libres
www.vidarestaurada.org
info@vidarestaurada.org

Citas Bíblicas tomadas de versión Reina Valera 1960

"El Espíritu de Jehová el Señor está sobre mí, porque me ungió Jehová; me ha enviado a predicar buenas nuevas a los abatidos, a vendar a los quebrantados de corazón, a publicar libertad a los cautivos, y a los presos apertura de la cárcel"

Isaías 61:1

Agradecimiento

Agradecemos a Dios con todo nuestro corazón por la nueva vida que nos ha dado. Le agradecemos por la salvación y por permitirnos ser testigos de su inagotable amor para salvar, sanar y liberar a los cautivos, entre los cuales estábamos nosotros.

Agradecemos a nuestros padres naturales y a nuestra familia. Estamos agradecidos por todo su amor y su apoyo, pues hemos conocido el amor incondicional de Dios a través de sus vidas. De igual manera estamos agradecidos con cada uno de los líderes, mentores y maestros que han impartido en nuestras vidas, pedimos a Dios que recompense todo lo que han sembrado en nosotros.

Índice

Introducción

"Así que, si el Hijo os libertare, seréis verdaderamente libres" Juan 8:36

El ser humano fue creado para vivir libre, lleno de gozo y paz, en completa salud física, mental y espiritual. Fuimos creados para tener provisión abundante y estar siempre en una relación íntima con Dios; sin embargo, vemos que la condición actual del hombre es totalmente alejada a la voluntad de Dios y al diseño original de la creación. Muchas personas incluso viven toda su vida sin conocer lo que es vivir en libertad. Personas atadas, llenas de ansiedad, complejos, inseguridades, depresión, oprimidas física, mental y espiritualmente; sin recursos ni medios necesarios para proveer una vida digna a su familia a pesar de sus múltiples intentos y sacrificios. Si ponemos nuestra mirada solamente en estas circunstancias, difícilmente podemos imaginarnos una vida en completa libertad. Vivir bajo todas estas opresiones esclaviza a las personas a ciclos que se repiten de generación en generación. Generaciones enteras viviendo conformadas a la necesidad, escasez, adulterio, brujería, a la enfermedad, entre otras cosas, aceptando todas estas opresiones como parte de su realidad porque no han conocido otra. Las buenas intenciones y los buenos deseos no

DAVID MOSQUERA - ISABEL MOSQUERA

son suficientes para ser libres, el ser humano desde la creación está enfrentándose a situaciones más grandes y más fuertes que él. Estas opresiones tienen la función de evitar que el hombre alcance su verdadero propósito y pueda gozar de una vida abundante. Cuando el hombre se enfoca en buscar soluciones a sus problemas por sí solo, en muchas ocasiones deposita su confianza en falsas creencias que, lejos de ayudar, empeoran su situación y generan más esclavitud y mayor frustración. Todos los medios convencionales se han quedado cortos al momento de brindar una solución definitiva a los problemas que en la actualidad el ser humano debe enfrentar.

La buena noticia es que existe una solución definitiva. Es totalmente posible ser libre de estas opresiones y dejar de vivir en dolor. Cualquier persona que esté sufriendo el efecto de una opresión a nivel mental, físico o espiritual puede ser libre a través del conocimiento verdadero de Jesús y de su Palabra. El propósito de este libro es presentar de una manera sencilla aquellos principios de la Palabra de Dios que hemos aplicado en nuestras vidas, y que nos permiten adquirir el conocimiento y la revelación para recibir liberación y mantenerla. Durante años hemos aplicado los principios de la Palabra de Dios y hemos sido testigos del amor de Dios para salvar, sanar y liberar a todos aquellos que deciden creer y confiar en Él. La libertad es un regalo y no depende de nuestro esfuerzo o de nuestros méritos, no hay nada que podamos hacer para ganarnos este privilegio, esto fue hecho y fue pagado por Jesús y nosotros solamente lo recibimos por medio de la fe. Jesús nos puede hacer verdaderamente libres si abrimos nuestro corazón a conocerle y decidimos obedecer su Palabra.

Este libro te guiará paso a paso para que obtengas liberación y para que puedas mantenerla.

"El ladrón no viene sino para hurtar y matar y destruir; yo he venido para que tengan vida, y para que la tengan en abundancia" Juan 10:10

I. Área Teórica

1

¿Cómo obtener liberación?

Como consecuencia del pecado, el ser humano nace con una naturaleza corrompida. *"He aquí, en maldad he sido formado, Y en pecado me concibió mi madre."* Salmos 51:5 Toda persona que nace en este mundo viene con pecado que le fue transmitido a través de sus ancestros. Lamentable realidad que no debemos tratar de solucionar con medios convencionales porque su origen es espiritual. La raíz verdadera de todos los problemas que atacan al ser humano tiene que ver con el pecado, la maldad, la iniquidad y la perversión.

El pecado dentro del proceso de degradación y corrupción es el primer paso. Cada vez que se comete pecado, se genera maldad. *"Si confesamos nuestros pecados, él es fiel y justo para perdonar nuestros pecados, y limpiarnos de toda maldad"* 1 Juan 1:9

La maldad, cuando se acumula, genera iniquidad *"No hay quien clame por la justicia, ni quien juzgue por la verdad; confían en vanidad, y hablan vanidades; conciben maldades, y dan a luz iniquidad"* Isaías 59:4.

La iniquidad da como resultado la perversión. La perversión es la distorsión total del diseño original de Dios. Es lo torcido, lo inmoral, lo opuesto a Dios. *"He aquí, solamente esto he hallado: que Dios hizo al hombre recto, pero ellos buscaron muchas perversiones"* *Eclesiastés 7:29*

La muerte espiritual es el resultado final del proceso de degradación y corrupción que comienza con el pecado. La muerte se manifiesta en todas las áreas de la vida de una persona. Podemos ver la muerte espiritual como la separación total de Dios. Como consecuencia de la separación de Dios, que es la fuente de vida, todo muere y esto repercute de igual manera en el cuerpo físico generando enfermedades, y en el alma produciendo opresiones mentales, problemas emocionales y afectando la voluntad de la persona. La muerte afecta todas las áreas del ser humano.

"Porque la paga del pecado es muerte,..." *Romanos 6:23*

"Yo soy la vid, vosotros los pámpanos; el que permanece en mí, y yo en él, éste lleva mucho fruto; porque separados de mí nada podéis hacer" *Juan 15:5*

Cuando existe pecado, maldad, iniquidad o perversión la opresión tiene inmediatamente un derecho legal para establecerse en la vida de una persona. Sabemos que no existe tratamiento ni procedimiento humano que pueda eliminar el pecado, que es la raíz de los problemas; posiblemente pueda existir algo para aliviar ciertos síntomas que se originan por una opresión, pero mientras no exista algo que pueda extirpar la raíz sabemos que no existirá una solución definitiva. Como existe desconocimiento en este tema, y los medios convencionales no pueden solucionar el problema de las opresiones, las personas tienden a resignarse a vivir atadas y bajo los efectos de opresiones en la mente, cuerpo y a nivel espiritual.

Opresión es todo aquello que infringe presión o dolor físico, mental o espiritual y busca someter al ser humano a esclavitud. La opresión humilla, somete, esclaviza, violando de esta manera la verdadera naturaleza del hombre creado conforme a la imagen de Dios.

Dios amó tanto al ser humano que envió a su hijo a tomar nuestro castigo y a morir en nuestro lugar. Cuando Jesús tomó nuestro pecado necesariamente tenía que morir, pues la paga del pecado es muerte y así lo establece su Palabra. Cuando Jesús muere en la cruz paga por todos nuestros pecados liberándonos del castigo y las consecuencias del pecado, la maldad, la iniquidad y la perversión.

"Y a vosotros, estando muertos en pecados y en la incircuncisión de vuestra carne, os dio vida juntamente con él, perdonándoos todos los pecados, anulando el acta de los decretos que había contra nosotros, que nos era contraria, quitándola de en medio y clavándola en la cruz, y despojando a los principados y a las potestades, los exhibió públicamente, triunfando sobre ellos en la cruz" Colosenses 2:13-15

A partir de su muerte somos liberados de toda opresión, de todo castigo y toda consecuencia generada por el pecado. En este momento el ser humano se despoja de la naturaleza corrompida y adopta su verdadera naturaleza, la del hombre creado a imagen y semejanza de Dios, permitiendo de esta manera nuestra reconciliación con Dios y con todo aquello que había preparado para nosotros. Nuestra liberación consiste en despojarnos de la naturaleza corrompida que fue establecida como consecuencia del pecado, la maldad, la iniquidad y la perversión. Para despojarnos de todo esto solamente lo podemos hacer a través del intercambio que ocurrió en la cruz, solamente a través de Jesús podemos ser libres. Decido creer, reconozco mi pecado y los de mis ancestros, me arrepiento y los confieso.

A continuación, podremos ver bases bíblicas desde la caída del hombre en el pecado hasta nuestra completa liberación a través de Jesús:

Fui creado por Dios

"Entonces dijo Dios: Hagamos al hombre a nuestra imagen, conforme a nuestra semejanza; y señoree en los peces del mar, en las aves de los cielos, en las bestias, en toda la tierra, y en todo animal que se arrastra sobre la tierra. Y creó Dios al hombre a su imagen, a imagen de Dios lo creó; varón y hembra los creó" Génesis 1:26-27

El pecado me separa de Dios

"por cuanto todos pecaron, y están destituidos de la gloria de Dios" Romanos 3:23

El pecado trae muerte

"Porque la paga del pecado es muerte, mas la dádiva de Dios es vida eterna en Cristo Jesús Señor nuestro" Romanos 6:23

Por el primer hombre entró la muerte y por Jesús entró la

vida

"Pues si por la transgresión de uno solo reinó la muerte, mucho más reinarán en vida por uno solo, Jesucristo, los que reciben la abundancia de la gracia y del don de la justicia" Romanos 5:17

El perdón de pecados solo es por Jesús

"en quien tenemos redención por su sangre, el perdón de pecados según las riquezas de su gracia" Efesios 1:7

La salvación es por Jesús

"Porque de tal manera amó Dios al mundo, que ha dado a su Hijo unigénito, para que todo aquel que en él cree, no se pierda, mas tenga vida eterna" Juan 3:16

La libertad verdadera es por Jesús

"Así que, si el Hijo os libertare, seréis verdaderamente libres" Juan 8:36

Debo confesar a Jesús y creer en El

"Que si confesares con tu boca que Jesús es el Señor, y creyeres en tu corazón que Dios le levantó de los muertos, serás salvo" Romanos 10:9

Podemos obtener liberación solamente a través de Jesús, no existe otra manera de que una persona pueda ser verdaderamente libre. Crees en tu corazón y declaras con tu boca a Jesús como tu Señor, entonces estarás permitiendo que intervenga en tu vida para salvarte, sanarte y liberarte. Si tú decides creer en Jesús y arrepentirte de todo pecado repite esta oración en voz alta:

Padre, en el nombre de Jesús me arrepiento de todo pecado y voluntariamente reconozco a Jesús como el hijo de Dios. Yo creo que murió en la cruz por mis pecados y resucitó al tercer día, pagando a través de su muerte por todos mis pecados y los pecados de mis ancestros. Entrego mi vida a Jesús, renuncio al pecado y rompo todo pacto con la muerte, con el mundo, el pecado, y con Satanás, en el nombre de Jesús. Amén.

Cuando una persona entrega su vida a Dios, arrepintiéndose de todo pecado y confesando a Jesús como su Salvador, nace de nuevo (en el espíritu), desde este momento su vida le pertenece a Jesús y no puede ser poseída por ningún espíritu maligno. Sin embargo, es necesario saber que la persona está compuesta por 3 partes: espíritu, alma y cuerpo. El espíritu le pertenece a Jesús como lo indicamos anteriormente, pero el alma de la persona (voluntad, mente y emociones) debe ser sanada, liberada y restaurada. Es aquí donde es necesaria la liberación. Este libro pretende ser un manual que guiará a cada persona paso a paso para que pueda despojarse de la naturaleza corrompida y recuperar su verdadera naturaleza. A lo largo de este material presentaremos principios de la Palabra de Dios que le permitirán a cada uno romper el poder de toda opresión y liberar cada área que haya sido afectada.

2

Requisitos para recibir liberación

Dios siempre actúa con base en su soberanía, esto es lo más importante a considerar, pues Él siempre estará dispuesto a liberar a cualquier persona, en cualquier lugar, de cualquier manera, sin ningún requisito, simplemente porque es Dios. Él tiene la capacidad, la autoridad, el poder para actuar como quiera. De igual manera, también hemos visto que en la Presencia de Dios hay liberación. Entrar en la Presencia de Dios a través de la adoración, el ayuno y la oración en una búsqueda profunda y sincera, siempre dará como resultado liberación. En su presencia somos transformados, sanados y liberados.

"Porque yo sé los pensamientos que tengo acerca de vosotros, dice Jehová, pensamientos de paz, y no de mal, para daros el fin que esperáis. Entonces me invocaréis, y vendréis y oraréis a mí, y yo os oiré; y me buscaréis y me hallaréis, porque me buscaréis de todo vuestro corazón. Y seré hallado por vosotros, dice Jehová, y haré volver vuestra cautividad, y os reuniré de todas las naciones y de todos los lugares adonde os arrojé, dice Jehová; y os haré volver al lugar de donde os hice llevar" Jeremías 29:11-14

Además de la soberanía de Dios y de la liberación que recibimos en la presencia de Dios, hemos identificado también los siguientes requisitos básicos para obtener liberación:

- **Fe**

La fe es la llave que nos permite recibir cualquier cosa de Dios. La Palabra de Dios es clara y establece que es necesario tener fe para recibir sus promesas. Él es movido por nuestra fe más que por nuestras necesidades o nuestras circunstancias. Es posible que al atravesar situaciones adversas pensemos que Dios inmediatamente va a acudir en nuestro auxilio, pero la verdad es que Dios muchas veces está más bien a la espera de que nosotros en esos momentos ejercitemos nuestra fe.

"Aquel día, cuando llegó la noche, les dijo: Pasemos al otro lado. Y despidiendo a la multitud, le tomaron como estaba, en la barca; y había también con él otras barcas. Pero se levantó una gran tempestad de viento, y echaba las olas en la barca, de tal manera que ya se anegaba. Y él estaba en la popa, durmiendo sobre un cabezal; y le despertaron, y le dijeron: Maestro, ¿no tienes cuidado que perecemos? Y levantándose, reprendió al viento, y dijo al mar: Calla, enmudece. Y cesó el viento, y se hizo grande bonanza. Y les dijo: ¿Por qué estáis así amedrentados? ¿Cómo no tenéis fe? Entonces temieron con gran temor, y se decían el uno al otro: ¿Quién es éste, que aun el viento y el mar le obedecen?" Marcos 4:35-41

En este ejemplo, vemos que la tempestad no movió a Jesús, tampoco lo despertó el hecho de que sus discípulos estaban a punto de perecer, fueron sus discípulos quienes corrieron a Él desesperados y Jesús les pregunta dónde está su fe, es decir, ¿por qué no utilizaron su fe? Sin fe es imposible agradar a Dios.

Si queremos algo de Él primeramente debemos creerlo. Para recibir liberación debemos creer que Dios tiene el poder para hacernos libres y quiere hacerlo. Con esta seguridad y con el perdón que viene a través de Jesús por todos nuestros errores estamos en la posición perfecta para recibir liberación.

"Respondiendo Jesús, les dijo: Tened fe en Dios" Marcos 11:22

"Es, pues, la fe la certeza de lo que se espera, la convicción de lo que no se ve"
Hebreos 11:1

"para que vuestra fe no esté fundada en la sabiduría de los hombres, sino en el poder de Dios" 1 Corintios 2:5

• **Clamor profundo**

El clamor profundo tiene relación a un gemir que sale del corazón. Difícilmente vamos a encontrar una persona bajo una opresión ya sea física, mental o espiritual que esté contenta o conforme con su estado. El estar bajo opresión es algo que causa sufrimiento, es algo incómodo y doloroso pues está violando la naturaleza misma del hombre creado en libertad conforme a la imagen de Dios. La esclavitud no es el estado original del hombre. La inconformidad con el estado de dolor y de sufrimiento nos lleva a clamar a Dios profundamente quien se compadece de nuestra aflicción. Cuando Dios escucha el clamor de sus hijos no solamente se compadece y conoce nuestras angustias, sino que nos saca del sufrimiento a un lugar amplio de bendición.

"Y dijo: Yo soy el Dios de tu padre, Dios de Abraham, Dios de Isaac, y Dios de Jacob. Entonces Moisés cubrió su rostro, porque tuvo miedo de

mirar a Dios. Dijo luego Jehová: Bien he visto la aflicción de mi pueblo que está en Egipto, y he oído su clamor a causa de sus exactores; pues he conocido sus angustias, y he descendido para librarlos de mano de los egipcios, y sacarlos de aquella tierra a una tierra buena y ancha, a tierra que fluye leche y miel, a los lugares del cananeo, del heteo, del amorreo, del ferezeo, del heveo y del jebuseo. El clamor, pues, de los hijos de Israel ha venido delante de mí, y también he visto la opresión con que los egipcios los oprimen" Éxodo 3:6-9

El clamor, es una muestra de nuestra inconformidad con el estado de esclavitud y servidumbre. No lo queremos, no lo toleramos. El clamor, muestra nuestra fe en un Dios todopoderoso que puede hacernos libres de nuestro opresor. Reconocemos que hay alguien más fuerte que puede hacernos libres. Creemos que el clamor profundo en un creyente es un factor determinante al momento de buscar liberación y restauración por parte de Dios.

• **Arrepentimiento y confesión**

La Palabra de Dios es clara al establecer que antes que venga una restauración tiene que haber: aceptación de pecado y un cambio de mente, es decir, un cambio de acciones y de actitudes. El arrepentimiento es un cambio de dirección y no tiene nada que ver con un sentimiento de culpa. El Espíritu Santo produce convicción de pecado, esa convicción real de pecado nos lleva al arrepentimiento y a pedir perdón confesando delante de Dios todo error. El arrepentimiento y la confesión de todo error y de todo pecado nos permite en primer lugar, recibir perdón y limpieza, en segundo lugar, rompe con todo derecho legal que Satanás tenga en nuestra vida para oprimir.

El derecho legal viene por el pecado y al estar libres de pecado, se elimina el derecho legal. Siempre que exista una opresión es porque existe un derecho legal que debe ser roto a través del arrepentimiento y la confesión de pecado. Por esta razón, cada vez que tenemos algún síntoma, dolor, malestar, opresión, problemas personales, en la familia, etc., debemos transformarnos en buscadores de puertas abiertas. Cuando las encontramos, nos arrepentimos y confesamos todo error y pecado delante de Dios.

"Si se humillare mi pueblo, sobre el cual mi nombre es invocado, y oraren, y buscaren mi rostro, y se convirtieren de sus malos caminos; entonces yo oiré desde los cielos, y perdonaré sus pecados, y sanaré su tierra" 2 Crónicas 7:14

"Si confesamos nuestros pecados, él es fiel y justo para perdonar nuestros pecados, y limpiarnos de toda maldad" 1 Juan 1:9

3

Obstáculos para recibir liberación

En el camino para encontrar liberación es posible que se presenten obstáculos. Si sabemos identificarlos y logramos deshacernos de ellos podremos garantizar un camino abierto para recibir liberación de manera exitosa. Siempre debemos estar atentos a la guía del Espíritu Santo; pues es posible que, en ocasiones, con su ayuda podamos identificar algo en nuestra vida que está siendo un estorbo para recibir lo que Dios tiene para nosotros. Cuando identificamos algo debemos arrepentimos, confesarlo a Dios y lo echamos fuera de nuestras vidas.

• Incredulidad

La incredulidad es lo opuesto a la fe. Si sabemos que la fe nos permite recibir de Dios, la incredulidad por el contrario lo impide. La incredulidad bíblicamente fue la causa por la cual el poder de Dios muchas veces dejó de manifestarse y fue además la causa por la cual muchas personas dejaron de recibir las bendiciones de Dios.

"Y no hizo allí muchos milagros, a causa de la incredulidad de ellos"
Mateo 13:52

- **Pasividad**

Es un error asumir que la liberación viene a nuestras vidas por sí sola. Este pensamiento es equivocado y puede llevar a una persona a un estado de pasividad que es peligroso en la vida espiritual. La pasividad logra que sus víctimas entren en un estado de letargo e indiferencia. La Palabra de Dios por el contrario nos llama a actuar, nos dice por ejemplo que nuestra fe sin obras está muerta, existe un llamado a la acción, la persistencia y a la batalla que no podemos desechar si queremos obtener lo que Dios preparó para nosotros.

"Pelea la buena batalla de la fe, echa mano de la vida eterna, a la cual asimismo fuiste llamado, habiendo hecho la buena profesión delante de muchos testigos" 1 Timoteo 6:12

Debemos tener claro que hemos sido perdonados y limpiados por Dios, tenemos una herencia que debemos pelearla utilizando nuestra fe, debemos apropiarnos de lo que nos pertenece. Las opresiones tratan de establecerse en nuestras vidas por la fuerza en contra de nuestra voluntad. Debemos ocupar el lugar que nos corresponde como hijos y herederos, haciendo valer nuestros derechos y arrebatar nuestra liberación.

"Desde los días de Juan el Bautista hasta ahora, el reino de los cielos sufre violencia, y los violentos lo arrebatan" Mateo 11:12

- **Falta de conocimiento**

El conocimiento de la Palabra de Dios trae revelación a nuestras vidas que permite que toda venda de ignorancia caiga y toda mentira sea expuesta a la luz de Dios. Al tener conocimiento verdadero, podemos ejercer los derechos y obligaciones que tenemos como hijos de Dios. El adquirir conocimiento es la voluntad perfecta de Dios para nosotros.

"Porque misericordia quiero, y no sacrificio, y conocimiento de Dios más que holocaustos" Oseas 6:6

Satanás es el padre del engaño y de la mentira; la manera correcta de mantenerme en libertad y lejos de sus artimañas es permanecer en la verdad, a la cual tengo acceso a través del conocimiento de la Palabra de Dios. El engaño logra que las personas tomen decisiones equivocadas porque están percibiendo que algo bueno es malo y que algo malo es bueno. La única manera de ser libres de esta influencia es tomar decisiones en base a lo que dice la Palabra de Dios y no en base a lo que percibimos naturalmente. Por esta razón es necesario el conocimiento de la Palabra de Dios, solo así evitamos caer bajo engaño y ser atrapados y esclavizados, este es el objetivo de Satanás.

Nosotros debemos someternos a Dios y en humildad dedicarnos a adquirir conocimiento en su Palabra, tenemos que conocer la verdad, solamente así la mentira y el engaño jamás serán aceptados como una realidad en nuestras vidas.

"Y conoceréis la verdad, y la verdad os hará libres" Juan 8:32

• **Tolerancia al pecado**

No se puede ser libre de aquellas cosas que nos gustan, toleramos o disfrutamos. El primer paso en estos casos es pedirle a Dios que remueva todo deseo incorrecto de nuestro corazón, y que venga sobre nosotros el temor de Dios que nos permita amar lo que Él ama y aborrecer lo que Él aborrece. Dios respeta siempre nuestra decisión, nos ha dado libre albedrío para tomar decisiones por cuenta propia y de manera voluntaria. Dios pone delante de nosotros un camino de bendición y un camino de maldición, nos habla de las consecuencias de cada uno de estos caminos. Dios llega incluso a sugerirnos que escojamos el camino de bendición, pero de ninguna manera nos obliga a tomarlo y tampoco toma la decisión por nosotros.

"Mira, yo he puesto delante de ti hoy la vida y el bien, la muerte y el mal; porque yo te mando hoy que ames a Jehová tu Dios, que andes en sus caminos, y guardes sus mandamientos, sus estatutos y sus decretos, para que vivas y seas multiplicado, y Jehová tu Dios te bendiga en la tierra a la cual entras para tomar posesión de ella. Mas si tu corazón se apartare y no oyeres, y te dejares extraviar, y te inclinares a dioses ajenos y les sirvieres, yo os protesto hoy que de cierto pereceréis; no prolongaréis vuestros días sobre la tierra adonde vais, pasando el Jordán, para entrar en posesión de ella. A los cielos y a la tierra llamo por testigos hoy contra vosotros, que os he puesto delante la vida y la muerte, la bendición y la maldición; escoge, pues, la vida, para que vivas tú y tu descendencia; amando a Jehová tu Dios, atendiendo a su voz, y siguiéndole a él; porque él es vida para ti, y prolongación de tus días; a fin de que habites sobre la tierra que juró Jehová a tus padres, Abraham, Isaac y Jacob, que les había de dar" Deuteronomio 30: 15-19

Debemos ser firmes en nuestra decisión de no tolerar el pecado, arrepentirnos de todo aquello que es incorrecto y que en algún momento en nuestra vida lo toleramos o disfrutamos.

Que Dios saque de nosotros toda tolerancia al pecado y que podamos estar firmes en esto sabiendo que la paga del pecado es muerte, pero el regalo de Dios es vida eterna, vida abundante a través de Jesús.

• Falta de identidad

Nosotros somos hijos de Dios, y por esta razón tenemos derecho a vivir una vida en libertad, lejos de cualquier opresión física, mental o espiritual. La muerte de Jesús en la cruz pagó por cada uno de nuestros pecados y los pecados de nuestros ancestros. El amor de Dios por nosotros fue tan grande que, dice la Palabra, aún cuando estábamos lejos y en pecado, Cristo murió por nosotros.

"Mas Dios muestra su amor para con nosotros, en que siendo aún pecadores, Cristo murió por nosotros" Romanos 5:8

Si no conocemos nuestra posición en Cristo y no tenemos seguridad de salvación, no podemos recibir lo que hay para nosotros. La liberación está preparada para los hijos de Dios, para aquellos que conocen su verdadera identidad. La falta de identidad te puede decir que no lo mereces, que no eres digno, pero si conoces la verdad de la Palabra de Dios sabes que Él te ama, te perdonó, te salvó, quiere sanarte y liberarte.

"Y si vosotros sois de Cristo, ciertamente linaje de Abraham sois, y herederos según la promesa" Gálatas 3:29

4

El Espíritu Santo nuestro ayudador

Lo primero que debemos saber es que el Espíritu Santo es Dios, ÉL es la tercera persona de la Trinidad (Dios Padre, Dios hijo y Dios Espíritu Santo). A diferencia de Dios Padre y Jesús, su hijo, que están en el cielo, el Espíritu Santo está en la tierra. Cuando recibimos a Jesús en nuestro corazón y lo confesamos como nuestro Señor y Salvador, nacemos de nuevo en el espíritu y somos adoptados como hijos de Dios, es entonces cuando el Espíritu Santo viene a morar dentro de nosotros y nuestro cuerpo se transforma en su templo.

"¿O ignoráis que vuestro cuerpo es templo del Espíritu Santo, el cual está en vosotros, el cual tenéis de Dios, y que no sois vuestros?" 1 Corintios 6:19

Por esta razón, quien tiene al Espíritu Santo no puede ser poseído por un espíritu maligno. Sin embargo, la persona sí puede ser influenciada u oprimida en distintas áreas como su mente, voluntad y emociones. Como habíamos mencionado, toda opresión está basada en un derecho legal que se otorgó a través del pecado. Con ayuda del Espíritu Santo llegamos a descubrir el derecho legal que se les otorgó a Satanás y sus demonios. Nuestra dependencia del Espíritu Santo es esencial, necesitamos su revelación para identificar el lugar de entrada de cualquier opresión. El Espíritu Santo nos ayuda a identificar y a remover cualquier derecho legal que Satanás posee.

"Mas el Consolador, el Espíritu Santo, a quien el Padre enviará en mi nombre, él os enseñará todas las cosas, y os recordará todo lo que yo os he dicho" Juan 14:26

Por esta razón, la liberación más que exaltar las obras de las tinieblas y el poder de Satanás, consiste en tener una relación fuerte con Dios y con su Santo Espíritu de manera que podamos identificar la raíz de cualquier opresión y podamos, con el poder de Dios, removerla. Cuando estamos llenos de su Presencia, su luz expone cualquier oscuridad en nuestras vidas. Las tinieblas no prevalecen contra la luz, por el contrario, la luz expone toda tiniebla dejando al descubierto todo diseño y estrategia que busca robar, matar y destruir. Este es un principio básico en liberación, más que desgastarnos peleando contra una opresión o contra un espíritu maligno, nuestro enfoque debe ser buscar a Dios y ser llenos de su Espíritu Santo quien nos guiará en todo este proceso hasta ser libres. Con la guía del Espíritu Santo conocemos el lugar y la razón de entrada de cualquier opresión, nos arrepentimos, renunciamos y echamos fuera toda influencia en el nombre de Jesús y con el poder del Espíritu Santo somos libres.

"Pero cuando venga el Espíritu de verdad, él os guiará a toda la verdad; porque no hablará por su propia cuenta, sino que hablará todo lo que

oyere, y os hará saber las cosas que habrán de venir" Juan 16:13

Por todo esto, el Espíritu Santo es un regalo de Dios para nosotros. Nos ayuda, nos consuela, nos convence, nos enseña, vive en nosotros y su poder está disponible para liberarnos y para sanarnos. Él es la promesa de Dios para nosotros, Él es quien nos guía a conocer a profundidad a Jesús. El Espíritu Santo habla con nosotros y es nuestra tarea desarrollar una relación íntima con Él de manera que podamos entender claramente su lenguaje, ser sensibles a su guía.

"Porque todos los que son guiados por el Espíritu de Dios, éstos son hijos de Dios" Romanos 8:14

El Espíritu Santo en nosotros es la llave para tener una vida de poder. Por esta razón, como creyentes, debemos rendirnos a su guía y dirección, crucificando nuestra carne y menguando con nuestros deseos y nuestros intereses para que el Espíritu de Dios crezca en nosotros con sus deseos y su voluntad. Menos de nosotros y más de Él. Una vida apartada del pecado en obediencia a Dios y su Palabra es posible si recibimos el poder de Dios a través de su Santo Espíritu.

"pero recibiréis poder, cuando haya venido sobre vosotros el Espíritu Santo, y me seréis testigos en Jerusalén, en toda Judea, en Samaria, y hasta lo último de la tierra" Hechos 1:8

5

Autoridad del creyente para auto liberarse y liberar a otras personas

Como hijos de Dios tenemos derecho a utilizar la autoridad que Jesús nos delegó. Cuando hablamos de delegar autoridad nos referimos a que Jesús nos dio la autorización para usar el poder de Dios. Ejercer la autoridad correctamente requiere tener conocimiento de nuestra identidad como hijos de Dios. Tenemos derechos, pero también tenemos obligaciones. Por ejemplo, tenemos el derecho a usar el poder de Dios, pero tenemos la obligación de vivir posicionados en justicia; esto quiere decir, estar a cuentas con Dios y vivir de acuerdo a lo establecido en la Palabra de Dios. Dependemos de la gracia de Dios y no de las obras o esfuerzos humanos. La autoridad se ejerce para que la voluntad perfecta de Dios se lleve a cabo, la voluntad perfecta de Dios es que seamos salvos, sanos y libres.

"Y Jesús se acercó y les habló diciendo: Toda potestad me es dada en el cielo y en la tierra" Mateo 28:18

Tenemos autoridad a través de:

• Jesús y su Nombre

Desde la caída del hombre, la humanidad ha estado sometida bajo el poder de Satanás, del pecado y de la muerte. El ser humano estaba condenado a vivir bajo esclavitud. Cuando Jesús viene a la tierra él vive una vida en santidad y logra vencer al pecado y a Satanás; a pesar de esto fue llevado a la cruz para morir y lo que parecía una derrota inicialmente, se convierte en la victoria final al resucitar y vencer a la muerte. Jesús venció sobre todo lo que tenía a la humanidad esclavizada y con esto, todo aquel que cree en Jesús recibe, por consiguiente, la victoria sobre la muerte, el pecado y Satanás. Por esta razón, cuando oramos lo hacemos en el nombre de Jesús donde reposa toda la autoridad.

"Y todo lo que hacéis, sea de palabra o de hecho, hacedlo todo en el nombre del Señor Jesús, dando gracias a Dios Padre por medio de él"
Colosenses 3:17

"para que en el nombre de Jesús se doble toda rodilla de los que están en los cielos, y en la tierra, y debajo de la tierra" Filipenses 2:10

"Volvieron los setenta con gozo, diciendo: Señor, aun los demonios se nos sujetan en tu nombre. Y les dijo: Yo veía a Satanás caer del cielo como un rayo. He aquí os doy potestad de hollar serpientes y escorpiones, y sobre toda fuerza del enemigo, y nada os dañará. Pero no os regocijéis de que los espíritus se os sujetan, sino regocijaos de que vuestros nombres están escritos en los cielos" Lucas 10:17-20

"Y todo lo que pidiereis al Padre en mi nombre, lo haré, para que el

Padre sea glorificado en el Hijo. Si algo pidiereis en mi nombre, yo lo haré" Juan 14:13-14

• **La Palabra de Dios**

Es nuestro manual de vida y la guía que Dios ha dado para conocerle. La Palabra de Dios ha sido inspirada y revelada por su Santo Espíritu para recibir instrucción, sabiduría, consejo, guía, corrección, su voluntad perfecta, y el Poder para vivir de acuerdo a su propósito. Es una herramienta poderosa para apropiarnos de nuestra herencia y pelear las batallas.

Es nuestro deber creer y meditar en ella, de esta manera la confesamos y buscamos vivir conforme a todo lo que en ella está escrito. Así garantizamos que todo lo que hagamos saldrá bien y prosperará.

"Nunca se apartará de tu boca este libro de la ley, sino que de día y de noche meditarás en él, para que guardes y hagas conforme a todo lo que en él está escrito; porque entonces harás prosperar tu camino, y todo te saldrá bien" Josué 1:8

La Palabra de Dios provee la verdad respecto a nuestra identidad, nuestra relación con Dios y con las demás personas. Todo lo referente a esta vida, desde el inicio hasta el final está contenido en la Palabra. Todo lo que vemos fue creado por la Palabra, es la única verdad absoluta y todo aquello que sea contrario a ella es mentira, error y engaño. La manera de exponer a Satanás y a sus mentiras es poner todo a la luz de la Palabra, si hay algo que contradice la Palabra sabemos que es mentira.

Si creemos y vivimos conforme a la Palabra de Dios podremos

disfrutar de todos sus beneficios; todas las promesas de Dios contenidas en su Palabra son nuestras. Cuando utilizamos la Palabra en la liberación, Satanás es expuesto y desarmado de todo argumento, frente a eso no tiene otra opción más que salir. Como creyentes está en nosotros si creemos la Palabra de Dios, o le permitimos a Satanás oprimir nuestras vidas cuando creemos sus mentiras.

"Toda la Escritura es inspirada por Dios, y útil para enseñar, para redargüir, para corregir, para instruir en justicia" 2 Timoteo 3:16

"Y cuando llegó la noche, trajeron a él muchos endemoniados; y con la palabra echó fuera a los demonios, y sanó a todos los enfermos" Mateo 8:16

"Sécase la hierba, marchítase la flor; mas la palabra del Dios nuestro permanece para siempre" Isaias 40:8

- **La Cruz**

La cruz es el sacrificio perfecto de Jesús para salvarnos, sanarnos y liberarnos. Es en la cruz donde se consuma el plan perfecto de Dios para derrotar a Satanás y sus demonios, donde toda nuestra deuda con el pecado fue pagada. Es el sacrificio perfecto por medio del cual la humanidad es comprada por Jesús para el Reino de Dios.

"Y a vosotros, estando muertos en pecados y en la incircuncisión de vuestra carne, os dio vida juntamente con él, perdonándoos todos los pecados, anulando el acta de los decretos que había contra nosotros, que nos era contraria, quitándola de en medio y clavándola en la cruz, y despojando a los principados y a las potestades, los exhibió públicamente,

triunfando sobre ellos en la cruz" Colosenses 2:13-15

• **La Sangre de Jesús**

La sangre de Jesús es el poder de Dios expiatorio. La sangre de Jesús limpia y arranca el pecado de nuestras vidas. En el Antiguo Testamento, la sangre de un animal sacrificado cubría el pecado del pueblo por un lapso determinado de tiempo. La sangre de Jesús no solo cubre el pecado, sino que elimina totalmente el pecado del hombre, lo arranca de raíz. La sangre de Jesús es el poder redentor de Dios que trae perdón de pecados, limpieza y protección sobre toda maldad. La sangre de Jesús al cubrir a una persona la santifica y el derecho legal que Satanás tenía sobre ella es anulado dejándole sin argumento alguno para seguir oprimiendo a esa persona.

"Y ellos le han vencido por medio de la sangre del Cordero y de la palabra del testimonio de ellos, y menospreciaron sus vidas hasta la muerte" Apocalipsis 12:11

Para ejercer autoridad correctamente lo debemos hacer siempre a través de Jesús, su Nombre, su Palabra, la Cruz y su Sangre. Es aquí donde tenemos la autoridad verdadera y Satanás junto a sus demonios, se someten y obedecen. Solamente aquí tenemos libertad y poder para liberarnos o para liberar a otros.

6

Liberación - Procedimiento

Existen 4 principios básicos en el procedimiento de una liberación. Entendiendo estos 4 principios podremos liberar y auto liberarnos continuamente.

• **Identificación**

Todo lo que vivimos y toda circunstancia adversa que enfrentamos tiene un origen y una razón de ser, debemos estar alerta a lo que sucede en nuestra vida y alrededor de nosotros. Cualquier tipo de opresión que podemos experimentar tiene una raíz, la cual debemos descubrir. En el mundo espiritual existe una lucha entre dos reinos, el reino de Dios y el reino de las tinieblas, que opera a través de opresiones que buscan esclavizar a los seres humanos.

Para que una opresión sea establecida en la vida de una persona existe siempre una razón, algo sucedió que permitió que dicha opresión pueda manifestarse. La liberación requiere una profunda búsqueda, tanto en información como en revelación, que nos permita llegar siempre a la raíz del problema. Cuando hablamos de información son datos que nosotros mismos podemos obtener indagando en nuestra vida o en nuestra familia, hay cosas que nosotros podemos identificar. La revelación en cambio es específica y generalmente la necesitamos cuando no podemos identificar lo que nos está oprimiendo o la raíz de dicha opresión, la revelación viene a través del Espíritu Santo.

"Pero cuando venga el Espíritu de verdad, él os guiará a toda la verdad; porque no hablará por su propia cuenta, sino que hablará todo lo que oyere, y os hará saber las cosas que habrán de venir" Juan 16:13

"Gloria de Dios es encubrir un asunto; Pero honra del rey es escudriñarlo" Proverbios 25:2

"Como el gorrión en su vagar, y como la golondrina en su vuelo, Así la maldición nunca vendrá sin causa" Proverbios 26:2

• **Arrepentimiento y confesión**

El arrepentimiento es un requisito para recibir liberación. Arrepentirse es cambiar de dirección, dejar de hacer o apartarse de aquello que sabemos que es incorrecto y que desagrada a Dios. No hay liberación sin arrepentimiento. El arrepentimiento es el paso inicial para llegar a remover el derecho legal y cualquier opresión que esté afectando el cuerpo, la mente o el espíritu. Necesitamos humildad para reconocer que tenemos un problema, para arrepentirnos y confesar cualquier error.

"No he venido a llamar a justos, sino a pecadores al arrepentimiento" Lucas 5:32

Cuando confesamos un pecado Dios nos perdona y nos limpia y esta debe ser siempre nuestra oración al pedir perdón, "Señor perdónanos y límpianos". Cuando recibimos el perdón de Dios inmediatamente el derecho legal de Satanás es removido.

"Si confesamos nuestros pecados, él es fiel y justo para perdonar nuestros pecados, y limpiarnos de toda maldad" 1 Juan 1:9

- **Renunciación y echar fuera**

El mundo espiritual funciona a través de derechos legales. Cuando nos arrepentimos y confesamos un pecado recibimos inmediatamente perdón por parte de Dios, esto nos libera del poder de Satanás y de sus opresiones. Aquí se rompió el derecho legal. Después del arrepentimiento y nuestra confesión, debemos renunciar y echar fuera cualquier influencia, siempre en el nombre de Jesús.

"Pero si yo por el Espíritu de Dios echo fuera los demonios, ciertamente ha llegado a vosotros el reino de Dios" Mateo 12:28

- **Llenura del Espíritu Santo**

Es importante señalar lo siguiente: cuándo echamos fuera de nuestra vida alguna influencia demoníaca, existe un lugar que ese demonio estaba ocupando y ese lugar, ahora vacío, debe llenarse de la Presencia de Dios. Por eso, le pedimos a Dios siempre, después de echar fuera cualquier influencia, que el Espíritu Santo nos llene y ocupe todo lugar que ha quedado vacío.

"Cuando un espíritu malo sale de una persona, viaja por el desierto buscando dónde descansar. Al no encontrar ningún lugar, dice: "Mejor regresaré a mi antigua casa, y me meteré de nuevo en ella. Cuando regresa, la encuentra limpia y ordenada. Entonces va y busca a otros siete espíritus peores que él, y todos se meten dentro de aquella persona y

se quedan a vivir allí. ¡Y esa pobre persona termina peor que cuando sólo tenía un espíritu malo!" Lucas 11:24-25

"Porque el Señor es el Espíritu; y donde está el Espíritu del Señor, allí hay libertad" 2 Corintios 3:17

7

Posibles manifestaciones en una liberación

Toda liberación implica que hay una influencia demoníaca que sale de la vida de una persona. Cuando los demonios salen de las personas lo pueden hacer con o sin una manifestación visible. No podemos enfocarnos en las manifestaciones, debemos enfocarnos en los principios. Cuando una persona se arrepiente, confiesa su pecado, renuncia a toda influencia y la echa fuera en el nombre de Jesús, sabemos que la persona es libre, con manifestación o sin ella. En el caso de que existan manifestaciones en una liberación las más comunes son las siguientes:

bostezo, dolor intenso en alguna parte del cuerpo, estornudos, gases, gemidos , golpes, gritos, lágrimas, llanto, movimientos, sacudidas, sonidos fuertes, tos, vómito...

En cualquier evento debemos estar preparados para manejar estos escenarios, podemos prohibir en el nombre de Jesús toda manifestación. Por ninguna razón debemos atemorizarnos. Es verdad que este tipo de situaciones no son comunes, sin embargo, debemos saber que el poder de Dios es más fuerte y Satanás fue derrotado en la cruz.

En el caso de manifestaciones fuertes debemos recordar que nosotros tenemos autoridad sobre nuestro cuerpo y cualquier persona que ha entregado su vida a Jesús no puede ser poseída. El creyente siempre tendrá más autoridad sobre su cuerpo que cualquier demonio. En casos de manifestaciones extremas la persona debe tomar autoridad sobre su cuerpo y prohibir toda manifestación en el nombre de Jesús.

Cuando un demonio sale, existe alivio en la persona, si por alguna razón existe una manifestación constante que no se detiene debemos repetir el proceso; debemos encontrar el derecho legal detrás de esa manifestación que no se detiene. Lo más común, cuando las manifestaciones no se detienen, puede ser falta de perdón o algo que la persona no ha confesado a Dios. Cuando hay algo no confesado Satanás mantiene un derecho legal. Cuando lo identificamos volvemos a repetir el procedimiento: Arrepentimiento - Confesión, Renunciación, Echar fuera y pedimos la Llenura del Espíritu Santo.

II.- Área Práctica

8

Auto-liberación

- **Falta de Perdón**

El ser humano es un ser social y relacional que interactúa constantemente con otras personas y al relacionarse siempre existe la posibilidad que se produzcan fricciones... fruto de ellas pueden venir las ofensas, que es algo que no podemos evitar pero sí podemos aprender a manejarlas con sabiduría y adoptando el perdón como estilo de vida. Por lo general, después de una ofensa el primer síntoma es el dolor, esto nos muestra inmediatamente que existe falta de perdón. Aunque una persona sea la víctima, y sea ofendida por otra persona, no tiene derecho delante de Dios y de acuerdo a su Palabra, para permanecer ofendida, con rencor o falta de perdón. La Palabra de Dios nos ordena perdonar a cualquier persona que nos haya ofendido como requisito para que Dios nos perdone a nosotros por nuestros pecados.

"Porque si perdonáis a los hombres sus ofensas, os perdonará también

49

a vosotros vuestro Padre celestial; mas si no perdonáis a los hombres sus ofensas, tampoco vuestro Padre os perdonará vuestras ofensas" Mateo

6:14-15

Cuando una persona está ofendida abandona su posición de justicia y abre puertas a espíritus de enojo, resentimiento, odio, deseos de venganza, rencor y amargura. Debemos aprender a defendernos y a actuar de acuerdo a la Palabra de Dios para no abrir puertas y no permitir a Satanás que oprima nuestras vidas. Las ofensas vendrán inevitablemente pero nuestro deber es perdonar, aunque no sintamos el deseo de hacerlo; es decir, el perdón no es una emoción sino una decisión que tomamos por obediencia a Dios y su Palabra. La falta de perdón es muy sutil, y en el mundo espiritual es como un veneno que contamina y genera rencor, hostilidad y amargura. La falta de perdón es un obstáculo a las bendiciones y a nuestra relación con Dios; Por esta razón, la falta de perdón no puede ser tolerada ya que es una puerta abierta a Satanás y sus demonios, es un derecho legal para oprimirnos. Frente a una ofensa debemos perdonar renunciando a todo derecho para tomar venganza por nuestra propia cuenta, debemos renunciar a todo espíritu aliado a la falta de perdón contra otras personas, contra Dios y contra uno mismo cualquiera sea el caso, además renunciar a sus espíritus aliados como son: enojo, resentimiento, odio, deseos de venganza, rencor y amargura.

El perdón debe ser un estilo de vida. Habituarnos al perdón nos garantiza una vida en obediencia y sin obstáculos para recibir las bendiciones de Dios. Debemos, además, tener presente que nuestra lucha no es contra las personas, sino que es espiritual.

El enemigo es quien usa como instrumento a las personas para ofendernos. Las personas que ofenden son simple objeto de Satanás y sus demonios.

"Entonces se le acercó Pedro y le dijo: Señor, ¿cuántas veces perdonaré a mi hermano que peque contra mí? ¿Hasta siete? Jesús le dijo: No te digo hasta siete, sino aun hasta setenta veces siete. Rechazo" Mateo 18:21-22

*Antes de renunciar a la falta de perdón, identifique todas las personas a las cuales debe perdonar y declare los motivos específicos.

Padre en el nombre de Jesús te pido perdón y me arrepiento por la falta de perdón. Decido voluntariamente dejar en libertad y perdonar a toda persona que me ha ofendido (*...). Renuncio y echo fuera en el nombre de Jesús a la falta de perdón, enojo, resentimiento, odio, deseos de venganza, rencor y amargura. Todo veneno de la falta de perdón sale de mi vida ahora en el nombre de Jesús.

Espíritu Santo te pido que me llenes y ocupes todo lugar que ha quedado vacío

- **Rechazo**

El rechazo es posiblemente una de las influencias más destructivas que existen contra el ser humano. Fuimos creados conforme a la imagen y semejanza de Dios, fuimos diseñados para estar llenos del amor de Dios, con nuestras virtudes y defectos somos aceptados por Él.

Como resultado del rechazo el ser humano puede estar convencido que no es suficientemente bueno para ser aceptado. El rechazo ataca la identidad de la persona, la desvaloriza, la menosprecia totalmente. El rechazo opera en conjunto con el temor al rechazo y el rechazo a sí mismo.

Una persona es más susceptible al ataque de este espíritu desde el vientre de su madre al igual que en los primeros años de vida donde la verdadera identidad de la persona está en formación, sin embargo, puede presentarse también en personas jóvenes o adultas sin una identidad fuerte en Dios. Cuando la identidad de una persona está desarrollándose Satanás buscará la manera de atacar con esta influencia. El rechazo obstaculiza el desarrollo de la identidad de una manera real, fuerte, saludable y conforme a la voluntad de Dios. La persona con un espíritu de rechazo crecerá convencida que no es digna de ser aceptada, que vale menos que otras personas y no tiene el valor suficiente para merecer cosas buenas en la vida. Una distorsión total de la identidad verdadera.

La protección contra esta influencia es la verdad de la Palabra de Dios, saber quiénes somos en Él, saber que somos aceptados y amados por Dios y que su amor es incondicional. La persona que recibe el amor de Dios, recibe su verdadera identidad y puede ser libre del rechazo. Dios nos ama tal cual somos, con imperfecciones y defectos. El amor de Dios no depende de lo que hagamos o dejemos de hacer. En todo tiempo su amor permanece igual. Cuando recibimos el amor y la aceptación de Dios, no dependemos de la aprobación o aceptación de otras personas y ese debe ser nuestro enfoque siempre para guardarnos del espíritu destructivo del rechazo.

"¿Se olvidará la mujer de lo que dio a luz, para dejar de compadecerse del hijo de su vientre? Aunque olvide ella, yo nunca me olvidaré de ti" Isaías

49:15

*"Porque yo sé los pensamientos que tengo acerca de vosotros, dice Jehová,
pensamientos de paz, y no de mal, para daros el fin que esperáis"*
Jeremías 29:11

*"Mas Dios muestra su amor para con nosotros, en que siendo aún
pecadores, Cristo murió por nosotros"* Romanos 5:8

Padre en el nombre de Jesús me arrepiento y te pido perdón por el rechazo, el temor al rechazo y el rechazo a mí mismo. Te pido que me perdones y me limpies. Te pido perdón por haber creído cualquier palabra de rechazo o menosprecio hablada contra mi vida. Renuncio y echo fuera en el nombre de Jesús el espíritu de rechazo, temor al rechazo, rechazo a mí mismo, menosprecio, desvalorización, mentira y engaño.

Espíritu Santo te pido que me llenes con tu verdad y ocupes todo lugar que ha quedado vacío, en el nombre de Jesús. Amén.

- **Iniquidad**

El pecado que una persona práctica en el mundo espiritual genera maldad y la acumulación de maldad se convierte en algo conocido como iniquidad. La iniquidad se transmite de generación en generación y puede entrar en la vida de una persona desde el momento de su concepción; se manifiesta como una inclinación desenfrenada hacia el pecado, la iniquidad es semejante a portar el ADN de Satanás. Una persona portadora de iniquidad tendrá una clara tendencia a hacer lo malo, será atraída a envolverse en todo tipo de maldad o perversión. La iniquidad atrae el juicio de Dios y crea una división entre Dios y el hombre.

"pero vuestras iniquidades han hecho división entre vosotros y vuestro Dios, y vuestros pecados han hecho ocultar de vosotros su rostro para no oír" Isaías 59:2

La iniquidad puede transferirse hasta cuatro generaciones. El Pecado practicado por nuestros ancestros, ya sea por la línea sanguínea del padre o de la madre, puede transferirse a nuestras vidas; por esta razón, muchas personas, a pesar de sus buenos deseos y de sus buenas intenciones, sufren las consecuencias de errores y pecado que no han cometido, con el antecedente adicional de que la iniquidad es una influencia tan fuerte que la persona que la porta es una persona que atrae juicio, atrae pecado, maldad y perversión.

Gracias a Dios por el sacrificio perfecto de la cruz y por Jesús que nos perdonó y pago por todas nuestras iniquidades. Debemos solamente acercarnos en humildad y pedirle perdón por todo pecado nuestro y de nuestros ancestros hasta la cuarta generación.

"El es quien perdona todas tus iniquidades, El que sana todas tus dolencias; El que rescata del hoyo tu vida, El que te corona de favores y misericordias; El que sacia de bien tu boca. De modo que te rejuvenezcas como el águila" Salmos 103:3-5

Padre en el nombre de Jesús me arrepiento y te pido perdón por todo pecado, maldad e iniquidad en mi vida y en todos mis ancestros por la línea sanguínea de mi padre y de mi madre hasta la cuarta generación. Renuncio a la iniquidad, a la maldad y al pecado y les ordeno en el nombre de Jesús salir fuera de mi vida. Padre en el nombre de Jesús tú me perdonas y me limpias de la iniquidad, la maldad y el pecado.

Espíritu Santo te pido que me llenes y ocupes todo lugar que ha quedado vacío, en el nombre de Jesús. Amén.

- **Incredulidad y Perversión**

Es interesante que en varios pasajes de la Biblia Jesús menciona a la incredulidad y la perversión como causas por las cuales sus discípulos no pudieron ejercer autoridad y echar fuera demonios. La perversión tiene relación con todo aquello que está torcido y desviado del orden establecido por Dios. Todo lo que Dios ha creado es bueno, agradable y perfecto, y lo que busca Satanás es pervertirlo, torcerlo y alejarlo de toda rectitud. La perversión también da lugar a opresiones y debemos arrepentirnos por toda clase de perversión en nuestras vidas y en nuestros ancestros.

"Respondiendo Jesús, dijo: !!Oh generación incrédula y perversa! ¿Hasta cuándo he de estar con vosotros? ¿Hasta cuándo os he de soportar? Traédmelo acá" Mateo 17:17

"He aquí, solamente esto he hallado: que Dios hizo al hombre recto, pero ellos buscaron muchas perversiones" Eclesiastés 7:29

"Porque para vosotros es la promesa, y para vuestros hijos, y para todos los que están lejos; para cuantos el Señor nuestro Dios llamare. Y con otras muchas palabras testificaba y les exhortaba, diciendo: Sed salvos de esta perversa generación" Hechos 2:39-40

Padre en el nombre de Jesús me arrepiento, te pido perdón por todo pecado en mi vida y en todos mis ancestros por la línea sanguínea de mi padre y de mi madre hasta la cuarta generación. Renuncio, rompo y echo fuera toda influencia de incredulidad y perversión, en el nombre de Jesús.

Espíritu Santo te pido que me llenes y ocupes todo lugar que ha quedado vacío, en el nombre de Jesús. Amén.

• **Maldiciones**

– Maldición por la caída del hombre

Cuando Adán y Eva pecaron, su desobediencia recibió maldición, la cual se propagó a toda la raza humana. Cuando creemos en Jesús y lo confesamos como nuestro Señor, arrepintiéndonos y renunciando a todo pecado, la maldición se rompe. Recordemos que existen cosas en el mundo espiritual que fueron realizadas por Dios, pero debemos recibirlas y apropiarnos de ellas. Recibimos libertad renunciando y rompiendo toda maldición que haya venido como consecuencia de la caída del hombre.

"A la mujer dijo: Multiplicaré en gran manera los dolores en tus preñeces; con dolor darás a luz los hijos; y tu deseo será para tu marido, [a] y él se enseñoreará de ti. Y al hombre dijo: Por cuanto obedeciste a la voz de tu mujer, y comiste del árbol de que te mandé diciendo: No comerás de él; maldita será la tierra por tu causa; con dolor comerás de ella todos los días de tu vida. Espinos y cardos te producirá, y comerás plantas del campo. Con el sudor de tu rostro comerás el pan hasta que vuelvas a la tierra, porque de ella fuiste tomado; pues polvo eres, y al polvo volverás"
Génesis 3:16-19

Padre en el nombre de Jesús me arrepiento y te pido perdón por todo pecado en mi vida y en todos mis ancestros por la línea sanguínea de mi padre y de mi madre hasta llegar a Adán y Eva. Renuncio y rompo toda maldición proveniente de la caída del hombre, en el nombre de Jesús. Yo fui redimido de la maldición de la ley, del pecado y de la caída del hombre.

Espíritu Santo te pido que me llenes y ocupes todo lugar que ha quedado vacío, recibo las bendiciones y los beneficios de la muerte de Jesús en la cruz, en el nombre de Jesús. Amén.

– Maldiciones generacionales

Las maldiciones generacionales provienen del pecado de nuestros ancestros hasta la cuarta generación por la línea sanguínea del padre y de la madre. Estas maldiciones tienen su origen en el pecado. Es decir que el pecado de un abuelo puede abrir la puerta a una maldición que sea recibida por el nieto o incluso por el bisnieto. Así como el color de cabello o el color de ojos se puede heredar, de igual manera el pecado abre puertas para maldiciones que son transferibles hasta cuatro generaciones.

Las maldiciones generacionales deben ser rotas, debemos arrepentirnos por todo pecado de nuestros ancestros hasta la cuarta generación, renunciamos y rompemos toda maldición generacional en nuestras vidas. Lo hacemos de una manera general, hablando de todo tipo de maldición generacional pero también podemos ser específicos, identificando cada una de las maldiciones generacionales presentes en nuestras vidas y en nuestras familias. Para romperlas de forma específica simplemente busco información de situaciones que se repitan en la familia, por ejemplo si existe una enfermedad específica que se repita en la familia, si existe un pecado que identificamos que varios familiares lo practican estamos hablando de algo generacional. Por decir, la abuela practicó brujería, la mamá practicó brujería y la persona tiene una inclinación a la práctica del ocultismo, sabemos en este caso que estamos frente a una maldición generacional. Lo mismo sucede con enfermedades se repiten en varias personas de la familia de una persona, de igual manera estaríamos frente a una maldición generacional.

"Jehová, tardo para la ira y grande en misericordia, que perdona la iniquidad y la rebelión, aunque de ningún modo tendrá por inocente al culpable; que visita la maldad de los padres sobre los hijos hasta los terceros y hasta los cuartos" Números 14:18

*Antes de renunciar a maldiciones generacionales identifique que opresiones o pecados se repiten en su familia. Por ejemplo: Adicciones, enfermedades específicas, adulterio, divorcio, aborto, etc.

Padre en el nombre de Jesús me arrepiento y te pido perdón por todo pecado, en mi vida y en todos mis ancestros por la línea sanguínea de mi padre y de mi madre hasta la cuarta generación. Renuncio y rompo toda maldición de (...) proveniente de mis ancestros.*

Espíritu Santo te pido que me llenes y ocupes todo lugar que ha quedado vacío, en el nombre de Jesús, amén.

– **Maldiciones auto impuestas**

La Palabra de Dios habla que en la lengua está el poder de la vida y de la muerte, es decir, que cada palabra que sale de nuestra boca tiene la capacidad de ser de bendición, o de maldición. Debemos ser muy cuidadosos con aquellas palabras que hablamos con otras personas, y aquellas palabras que decimos de nosotros mismos. Mucho cuidado con declaraciones y expresiones como: *"nunca tengo dinero, nada me sale bien, nadie me respeta, siempre estoy enfermo, etc."* Estas palabras son maldiciones que las personas se auto imponen y deben ser rotas luego de arrepentirnos.

"La muerte y la vida están en poder de la lengua, Y el que la ama comerá de sus frutos" Proverbios 18:21

Padre en el nombre de Jesús me arrepiento y te pido perdón por todo pecado y por toda palabra que ha salido de mi boca y que ha puesto lazo en mis pies. Te pido perdón por toda palabra hablada con ligereza. Renuncio y rompo toda maldición autoimpuesta que ha traído limitación, escasez y obstáculo a mi vida y a tus planes.

Espíritu Santo te pido que me llenes y ocupes todo lugar que ha quedado vacío, en el nombre de Jesús. Amén.

– Maldiciones por la crítica y el juicio

El juzgar y criticar a otras personas es algo que la Palabra de Dios prohíbe, estableciendo incluso que, de la misma manera que criticamos en eso mismo nos convertimos. El criticar y juzgar trae maldición y esta debe ser rota en nuestra vida.

"No juzguéis, para que no seáis juzgados. Porque con el juicio con que juzgáis, seréis juzgados, y con la medida con que medís, os será medido" Mateo 7:1-2

Padre en el nombre de Jesús me arrepiento y te pido perdón por todo pecado y por toda maldición hablada en contra de otras personas. Te pido perdón por toda palabra hablada con ligereza, perdón por la crítica, el juicio, la murmuración y la queja. Renuncio y rompo toda maldición hablada contra toda persona a la que critiqué, juzgué y de la cual murmuré. Renuncio y rompo toda maldición que ha venido a mi vida como consecuencia de la crítica, el juicio, la murmuración y la queja en el nombre de Jesús.

Espíritu Santo te pido que me llenes y ocupes todo lugar que ha quedado vacío, en el nombre de Jesús. Amén.

– Maldiciones por Anatemas

Cuando hablamos de anatema nos referimos a personas u objetos que han sido consagrados a una divinidad; por esta razón Dios mandaba a su pueblo que se guarde de tener contacto con anatemas. En nuestro hogar debemos ser vigilantes en cuanto a lo que entra. Cuando nos referimos a ser vigilantes estamos hablando de utilizar nuestros cinco sentidos y además de nuestro discernimiento espiritual; debemos siempre estar dispuestos a sacar de nuestro territorio aquellas cosas que por discernimiento sabemos que deben salir sin importar su valor emocional o monetario, lo importante es obedecer a lo que el Espíritu Santo nos está mostrando.

La guerra que se libra en el mundo espiritual es real, el mundo espiritual de las tinieblas tiene estrategias y diseños para llevar a cabo sus planes. Satanás sabe que si logra introducir un anatema en el hogar de un cristiano va a influenciar en ese lugar. Cuando decimos influenciar nos referimos a robar, matar y destruir, porque ese es su objetivo, por esta razón, no debemos ignorar los planes de las tinieblas. Hay cosas que son muy evidentes, por ejemplo imágenes de otros dioses, objetos de ocultismo, libros de falsas doctrinas, etc., pero también debemos prestar atención a libros, música, imágenes, cualquier objeto que su nombre esté comprometido, aunque su origen sea aparentemente inofensivo.

De igual manera objetos que no tienen absolutamente nada en su forma física, pero provienen de un lugar contaminado. Hemos visto que todo esto tiene el poder de influenciar, detrás de todo objeto adorado o consagrado hay un demonio. Nombres de perfumes, cuadros, libros, música todo esto tiene una intención original que en el mundo espiritual puede ofrecer oportunidad para la entrada de una influencia. Si estos objetos logran entrar a un hogar lo que sucede es que hay un derecho legal para oprimir. Gracias a Dios por la revelación y el discernimiento que nos permite cuidar el territorio que Él nos ha entregado.

"Las esculturas de sus dioses quemarás en el fuego; no codiciarás plata ni oro de ellas para tomarlo para ti, para que no tropieces en ello, pues es abominación a Jehová tu Dios; y no traerás cosa abominable a tu casa, para que no seas anatema; del todo la aborrecerás y la abominarás, porque es anatema" Deuteronomio 7:25-26

"Y Daniel propuso en su corazón no contaminarse con la porción de la comida del rey, ni con el vino que él bebía; pidió, por tanto, al jefe de los eunucos que no se le obligase a contaminarse" Daniel 1:8

Padre en el nombre de Jesús me arrepiento y te pido perdón por todo pecado consciente e inconsciente que pudo entregar un derecho legal a Satanás a través de objetos que entraron a mi hogar. En el nombre de Jesús ato y encadeno todo espíritu detrás de todo objeto contaminado, consagrado o anatema en mi territorio, saco de mi hogar todos estos objetos. Ordeno en el nombre de Jesús que todo espíritu del infierno escondido detrás de estos objetos salgan de mi hogar ahora, descontamino mi hogar y mi vida en el nombre de Jesús. Amén.

- **Cautiverio**

El cautiverio espiritual es real, una persona no necesita estar muerta en el infierno para estar bajo el dominio de Satanás a través de opresiones. Una persona que está viva, que entregó su vida a Cristo, puede tener un área en su vida bajo cautividad; de hecho, el pueblo de Israel en varias ocasiones a pesar de ser el pueblo escogido por Dios tuvo que permanecer por periodos de tiempo en cautividad fruto de la desobediencia y el pecado. El cautiverio tiene relación a un encierro, secuestro y falta de libertad. Se puede manifestar también a través de ciclos que se repiten y que impiden ver una salida, Hasta cierto punto el cautiverio es un misterio, lo que sabemos es que a través del arrepentimiento de todo pecado rompemos el derecho legal que nos mantiene bajo cautiverio en cualquier área. De nuestra experiencia hemos observado que el cautiverio se da por dos razones; la primera razón es cuando Satanás a través de sus trampas logra hacer que nosotros caigamos en ellas, esto le da un derecho legal para cautivarnos; la segunda razón es cuando existe un dolor intenso emocional o físico sufrido, ese dolor logra desfragmentar el alma y permite a Satanás tomar uno de esos fragmentos y llevarlo en cautividad, por ejemplo violaciones, muerte de seres queridos, accidentes graves, divorcios, etc.

Hemos visto por la experiencia que cuando estamos bajo cautiverio inmediatamente dejamos de fluir normalmente, es como si los dones que tenemos se congelan y entramos en un estado de inercia. Es ahí cuando debemos indagar cuál es la raíz del problema, nos arrepentimos, confesamos nuestra falta y oramos por liberación. La Palabra de Dios dice que al volver de cautiverio somos nuevamente como los que sueñan, esto se refiere a volver a vivir, nuestros dones se activan y salimos de todo encierro, secuestro y prisión.

"Cuando Jehová hiciere volver la cautividad de Sion, Seremos como los que sueñan" Salmos 126:1

"Por lo cual dice: Subiendo a lo alto, llevó cautiva la cautividad, Y dio dones a los hombres" Efesios 4:8

Padre en el nombre de Jesús me arrepiento y te pido perdón por todo pecado consciente e inconsciente que pudo entregar un derecho legal a Satanás. En el nombre de Jesús ato y encadeno todo espíritu que esté custodiando cualquier fragmento de mi alma. Ordeno en el nombre de Jesús que toda prisión, cárcel y lugar estrecho se abra, llamo a libertad todo fragmento de mi alma y te pido Padre que envíes a tus ángeles que tomen cada fragmento de mi alma y lo lleven a lugares celestiales donde estoy sentado juntamente con Cristo. En el nombre de Jesús todo fragmento de mi alma es reintegrado a mí. Amén.

• **Áreas adicionales**

– Corazón

En cuanto al corazón, la Palabra de Dios nos enseña que debemos cuidarlo y guardarlo, esto implica estar constantemente cuidando todo aquello que deseamos y anhelamos en nuestro corazón. Así como hay deseos correctos y de Dios, también pueden existir deseos para cometer pecado y sí estamos deseando algo incorrecto, dice la Palabra de Dios que esto equivale a haberlo realizado o cometido; por esta razón hemos visto que existen patrones de pecado que se repiten en el hombre y que son difíciles de romper. La razón es que la persona constantemente está deseando algo que, aunque no lo haga físicamente, ya lo hizo en su corazón; la manifestación física es solamente el resultado de aquello que inició como un deseo del corazón. Es un proceso que comienza con un pensamiento, se convierte en un deseo y finalmente se da a luz el pecado.

Si por alguna razón no pudimos controlar a tiempo lo que estamos pensando y dejamos que eso se convierta en un deseo, la única manera de detener este proceso será arrepentirnos y confesar nuestros malos deseos delante de Dios para limpiar y liberar nuestro corazón. Si nuestro corazón está limpio, podemos recibir libertad.

"Sobre toda cosa guardada, guarda tu corazón; Porque de él mana la vida" Proverbios 4:23

Padre en el nombre de Jesús me arrepiento y te pido perdón por todo pecado consciente e inconsciente que pudo entregar un derecho legal a Satanás a través de todo lo que he deseado en mi corazón. Me arrepiento y renuncio a todo deseo de pecado en mi corazón, el fuego santo de Dios quema todo deseo incorrecto en el nombre de Jesús.

Espíritu Santo te pido que me llenes, restaures y ocupes todo lugar en mi corazón que ha quedado vacío, en el nombre de Jesús. Amén.

– Área física

Buscamos en el área física todo aquello que nos afecta, en cualquier área donde hay opresión, enfermedad, dolor o algo fuera de lo normal, pues tiene que existir una influencia que adquirió un derecho legal para estar ahí. Seguimos los principios básicos de la liberación: Identificación, arrepentimiento y confesión por todo aquello que pudo abrir la puerta a esa influencia, opresión o enfermedad. Renunciamos y echamos fuera en el nombre de Jesús. Al final, pedimos al Espíritu Santo que nos llene y que ocupe ese lugar restaurando todo aquello que fue afectado. De todas maneras, debemos tomar en cuenta que el área física puede ser afectada por negligencia en el cuidado de alimentación, descanso y otros factores diferentes, pero la mayoría de problemas que aquejan nuestros cuerpos tienen su origen en el mundo espiritual.

Identifique enfermedades: Riñones, hígado, páncreas, huesos, artritis, cáncer, sida, diabetes, obesidad, adicciones, lupus, asma, alzhéimer, etc.

Identifique opresiones en cualquier parte del cuerpo, piernas, brazos, cabeza, espalda, órganos internos, etc.

Padre en el nombre de Jesús me arrepiento y te pido perdón por todo pecado consciente e inconsciente que pudo entregar un derecho legal a Satanás para oprimir mi cuerpo y salud física. En el nombre de Jesús ato, encadeno y renuncio a todo espíritu de (*...) y le ordeno salir fuera de mi vida. Espíritu Santo te pido que me llenes, restaures y ocupes todo lugar que ha quedado vacío, en el nombre de Jesús. Amén.

– Área mental

Buscamos en el área mental todo aquello que nos afecta. En cualquier área donde hay opresión, enfermedad, dolor o algo fuera de lo normal, tiene que existir una influencia que adquirió un derecho legal para poder entrar. Seguimos entonces los principios básicos de la liberación: Identificación,

Arrepentimiento y Confesión por todo aquello que pudo abrir la puerta a esa influencia, opresión o enfermedad. Renunciamos y echamos fuera en el nombre de Jesús. Al final, pedimos al Espíritu Santo que nos llene y que ocupe ese lugar restaurando todo aquello que fue afectado.

*Identifique enfermedades mentales, como por ejemplo: Esquizofrenia, bipolaridad, depresión, ansiedad, paranoia, bulimia, anorexia, trastornos de pánico, trastornos obsesivos compulsivos, trastornos fóbicos, trastorno por estrés postraumático, trastornos de la personalidad, etc.

*Identifique opresiones a nivel mental, como por ejemplo: Pánico, temor, alucinaciones, persecución, confusión, olvido, frustración, distracción, engaño, fantasías, espejismo, escapismo, insomnio, aturdimiento, control mental, desconfianza, duda, sospecha, celos, etc.

Padre en el nombre de Jesús me arrepiento y te pido perdón por todo pecado consciente e inconsciente que pudo entregar un derecho legal a Satanás. En el nombre de Jesús ato, encadeno y renuncio a todo espíritu de (*...) y le ordeno salir fuera de mi vida. Espíritu Santo te pido que me llenes, restaures y ocupes todo lugar que ha quedado vacío, en el nombre de Jesús. Amén.

– Área espiritual

Buscamos en el área espiritual todo aquello en lo cual hemos estado directa o indirectamente involucrados. Seguimos los principios básicos de la liberación: Identificación, arrepentimiento y confesión por todo aquello que pudo abrir la puerta a esa influencia, opresión o enfermedad. Renunciamos y echamos fuera en el nombre de Jesús. Al final pedimos al Espíritu Santo que nos llene y que ocupe ese lugar restaurando todo aquello que fue afectado.

*Identifique opresiones: Brujería, hechicería, santería, ocultismo, satanismo, nueva era, religiosidad, falsa doctrina, error, mormonismo, sectas, cultos, ritos, invocación de ángeles, invocación de espíritus, tarot, adivinación, idolatría, manipulación, control, dominación, intimidación, etc.

Padre en el nombre de Jesús me arrepiento y te pido perdón por todo pecado consciente e inconsciente que pudo entregar un derecho legal a Satanás. En el nombre de Jesús ato, encadeno y renuncio a todo espíritu de (*...) y le ordeno salir fuera de mi vida. Espíritu Santo te pido que me llenes, restaures y ocupes todo lugar que ha quedado vacío, en el nombre de Jesús. Amén.

– Área sexual

Buscamos en el área sexual todo aquello que nos afecta, en cualquier área donde hay opresión, pecado, enfermedad, dolor o algo fuera de lo normal tiene que existir una influencia que adquirió un derecho legal para estar ahí. Seguimos los principios básicos de la liberación: Identificación, Arrepentimiento y Confesión por todo aquello que pudo abrir la puerta a esa influencia, opresión o enfermedad. Renunciamos y echamos fuera en el nombre de Jesús. Al final, pedimos al Espíritu Santo que nos llene y que ocupe ese lugar restaurando todo aquello que fue afectado.

*Identifique opresiones: Lujuria, lascivia, perversión sexual, inmoralidad sexual, pornografía, homosexualidad, lesbianismo, masturbación, pedofilia, bestialismo, adulterio, fornicación, incesto, violación, masoquismo, sadismo, fetichismo, necrofilia, etc.

Padre en el nombre de Jesús me arrepiento y te pido perdón por todo pecado consciente e inconsciente que pudo entregar un derecho legal a Satanás. En el nombre de Jesús ato, encadeno y renuncio a todo espíritu de (*...) y le ordeno salir fuera de mi vida. Espíritu Santo te pido que me llenes, restaures y ocupes todo lugar que ha quedado vacío, en el nombre de Jesús, amén.

- **Oración por Llenura del Espíritu Santo**

Espíritu Santo, te pido en el nombre de Jesús que llenes todo lugar que ha quedado vacío en mi vida, y que restaures todo lugar afectado. Te pido que me limpies y me llenes con tu Presencia. LLévame a agradar al Padre en todo lo que pienso, deseo, hablo y hago. Espíritu Santo te entrego el control total de mi mente, mi cuerpo y mi corazón, guíame,

"Porque todos los que son guiados por el Espíritu de Dios, éstos son hijos de Dios" Romanos 8:14

9

¿Cómo mantener y cuidar la Liberación?

El mantener y cuidar la liberación es tan importante como la misma liberación. Necesitamos tener revelación y las herramientas necesarias para cuidar aquellas cosas que Dios hace en nuestras vidas. No se trata solamente de recibir de Dios, sino que necesitamos tener conocimiento y revelación para que lo que Dios hace o nos entrega podamos mantenerlo y cuidarlo.

Todo lo que Dios hace con nosotros es un proceso, que tiene como finalidad llevarnos a disfrutar una vida plena, abundante y en verdadera libertad, esa es la voluntad de Dios. Este proceso comienza con la salvación y continúa durante toda nuestra vida. Cada vez que Dios nos libera tenemos la responsabilidad de llenar esa área con la Palabra de Dios que es la verdad. Cuando Dios nos libera, hay un demonio que sale de nuestras vidas y deja libre el lugar que estaba ocupando. Esa área no podemos dejarla vacía, necesitamos llenarnos de la Palabra de Dios. Después de recibir liberación debemos mantenernos alejados del pecado, adquirir conocimiento en la Palabra de Dios, mantenernos en comunión intima con Dios y su Espíritu Santo esta es la manera correcta de cuidar la liberación

"Cuando un espíritu malo sale de una persona, viaja por el desierto buscando dónde descansar. Al no encontrar ningún lugar, dice: "Mejor regresaré a mi antigua casa, y me meteré de nuevo en ella. Cuándo regresa, la encuentra limpia y ordenada. 26 Entonces va y busca a otros siete espíritus peores que él, y todos se meten dentro de aquella persona y se quedan a vivir allí. ¡Y esa pobre persona termina peor que cuando sólo tenía un espíritu malo!" Lucas 11:24-25

Hemos identificado cuatro herramientas esenciales que nos ayudarán a cuidar nuestra liberación.

• **Relación de intimidad con Dios y con el Espíritu Santo**

El propósito principal de nuestra vida es mantener una relación de intimidad con Dios, al hacerlo, no solamente estamos cumpliendo con aquello establecido en la palabra de Dios, sino que estamos garantizando nuestro bienestar y nuestra libertad. Una casa no puede estar vacía, nuestros cuerpos, como Templo del Espíritu Santo, deben estar llenos en todo momento del Espíritu Santo y de la verdad de Dios a través su Palabra. Solamente así garantizamos el vivir la vida plena, abundante y en libertad que Dios nos prometió.

Nuestra relación de intimidad con Dios es lo más importante en nuestra vida, si logramos establecer claramente nuestras prioridades todo funcionará correctamente. Mientras mantengamos una relación de intimidad con Dios, nos mantendremos llenos de su Presencia y esto impedirá la existencia de lugares vacíos que quiera ocupar el enemigo. Al estar llenos de la Presencia de Dios Menguamos con nuestra carne que se inclina al pecado y evitamos ser atraídos por las tentaciones. La manera de tener una relación profunda con Dios es a través de una búsqueda incesante de su rostro y su Presencia en la oración, adoración, en la Palabra y a través del ayuno. Debemos crucificar nuestra carne.

"Buscad a Jehová y su poder; Buscad su rostro continuamente" 1 Crónicas 16:11

"Con Cristo estoy juntamente crucificado, y ya no vivo yo, mas vive Cristo en mí; y lo que ahora vivo en la carne, lo vivo en la fe del Hijo de Dios, el cual me amó y se entregó a sí mismo por mí" Gálatas 2:20

- **Renovar nuestra mente con la Palabra de Dios**

Al recibir a Jesús en nuestro corazón y entregar nuestra vida a Dios, nuestro espíritu cobra vida y es el Espíritu Santo quien viene a vivir dentro de nosotros, a partir de este momento somos salvos, sin embargo, nuestra mente necesita ser renovada a través de la Palabra de Dios. Desde que nacemos en la tierra hemos recibido información a través enseñanzas y experiencias que no necesariamente son correctas o de acuerdo a la verdad de Dios, Nuestra mente tiene la capacidad de influenciar sobre nuestro cuerpo y por esta razón patrones de pensamiento negativos pueden incluso derivar en síntomas y en enfermedades físicas. Existe una urgencia en cada creyente para renovar su mente y reemplazar todo pensamiento sometiéndolo a la luz y la verdad de Dios. Si conocemos la verdad, esta nos hace libres, pero si creemos en las mentiras de Satanás, el resultado serán opresiones, ataduras, dolor y aturdimiento.

"Porque del corazón salen los malos pensamientos, los homicidios,

los adulterios, las fornicaciones, los hurtos, los falsos testimonios, las blasfemias" Mateo 15:19

"No os conforméis a este siglo, sino transformaos por medio de la renovación de vuestro entendimiento, para que comprobéis cuál sea la buena voluntad de Dios, agradable y perfecta" Romanos 12:2

"Por lo demás, hermanos, todo lo que es verdadero, todo lo honesto, todo lo justo, todo lo puro, todo lo amable, todo lo que es de buen nombre; si hay virtud alguna, si algo digno de alabanza, en esto pensad" Filipenses 4:8

• **Vivir alejados del pecado**

El pecado es el origen de todo mal y le da un derecho legal a Satanás para oprimirnos. Es verdad que el ser humano no es perfecto y en sus fuerzas difícilmente va a vivir alejado del pecado, pero debemos saber que nosotros tenemos la ayuda del Espíritu Santo. El proceso de separarnos de aquellas cosas que nos hacen daño y nos llevan a caer en pecado es un camino en el cual necesitamos perseverancia. De ninguna manera podemos desanimarnos al principio si fallamos, para esto tenemos la convicción que pone en nosotros el Espíritu Santo y procedemos al arrepentimiento que debemos adoptar como estilo de vida; nos arrepentimos y confesamos cualquier error delante de Dios, pedimos su perdón y limpieza. Seguimos adelante en nuestro proceso de vivir una vida que agrade a Dios y lejos del pecado, esto es un proceso. Al mantenemos alejados del pecado mantenemos las puertas de nuestras vidas cerradas a Satanás. El vivir una vida alejados del pecado si es posible, siempre y cuando nos mantengamos en comunión íntima con

Dios y el Espíritu Santo. Recordemos siempre que no es en nuestras fuerzas, sino con la gracia y la ayuda de Dios.

"Absteneos de toda especie de mal" 1 Tesalonicenses 5:22

"Si confesamos nuestros pecados, él es fiel y justo para perdonar nuestros pecados, y limpiarnos de toda maldad" 1 Juan 1:9

"Por tanto, nosotros también, teniendo en derredor nuestro tan grande nube de testigos, despojémonos de todo peso y del pecado que nos asedia, y corramos con paciencia la carrera que tenemos por delante" Hebreos 12:1

- **Mantener limpio el corazón**

Nuestro corazón para Dios es muy importante y existen varias disposiciones expresas de parte de Él para que lo cuidemos. La razón principal por la que Dios nos ordena cuidar nuestro corazón es porque de él fluye la vida. Lo que hay en nuestro corazón se va a ver reflejado en nuestra vida entera.

"Sobre toda cosa guardada, guarda tu corazón; Porque de él mana la vida" Proverbios 4:23

El mantenernos en libertad requiere una exanimación, un trabajo profundo y constante con nuestro corazón. Lo que hay en nuestro corazón se va a ver reflejado en nuestra vida, es decir, si nuestro corazón está lleno de pecado, codicia y amargura, esto es lo que se verá como resultado en nuestra vida. Algo que hemos identificado es que hay muchas cosas que no confesamos a Dios porque no lo hemos consumado en lo físico, pero lo hemos deseado en nuestro corazón. Para Dios, si está en nuestro corazón, ya cuenta como si lo hubiéramos consumado. La revelación para cuidar nuestro corazón es confesar todo lo que deseamos y codiciamos tal como si ya lo hubiéramos consumado, esto mantendrá nuestro corazón limpio, y nosotros estaremos a cuentas con Dios y sin ninguna cosa reservada.

"Oísteis que fue dicho: No cometerás adulterio. Pero yo os digo que cualquiera que mira a una mujer para codiciarla, ya adulteró con ella en su corazón" Mateo 5:28-29

Si logramos mantener nuestro corazón limpio estamos cuidando nuestra liberación.

"Examíname, oh Dios, y conoce mi corazón; Pruébame y conoce mis pensamientos; Y ve si hay en mí camino de perversidad, Y guíame en el camino eterno" Salmos 139:23-24

III.- Área Ministerial

10

Propósito de la Iglesia en la liberación

"Y les dijo: Id por todo el mundo y predicad el evangelio a toda criatura. El que creyere y fuere bautizado, será salvo; mas el que no creyere, será condenado. Y estas señales seguirán a los que creen: En mi nombre echarán fuera demonios; hablarán nuevas lenguas; tomarán en las manos serpientes, y si bebieren cosa mortífera, no les hará daño; sobre los enfermos pondrán sus manos, y sanarán" Marcos 16: 15-18

Si nos enfocamos en la Palabra de Dios, sabemos que la Iglesia tiene como propósito el predicar el evangelio en todo el mundo, pero también debemos saber que mientras lo hace, debe echar fuera demonios liberando a los cautivos y debe sanar a los enfermos. Esto se conoce como la Gran Comisión y es la tarea entregada a la Iglesia por Jesús. La iglesia no debe desentenderse de esta tarea, sino más bien velar por el estado físico, mental y espiritual de los miembros de su congregación. Además de salvar almas, hay que sanarlas y liberarlas; en caso contrario, tendríamos una iglesia llena de miembros que se encuentran oprimidos, atados y viviendo en derrota. El verdadero fruto de la Iglesia no está determinado por el número de sus miembros, sino por el estado físico, mental y espiritual de cada uno de ellos. La iglesia fue llamada a ser instrumento de Dios para salvar, sanar y liberar; la Iglesia que cumple su propósito permitirá que el plan de Dios se manifieste en ella y en cada uno de sus miembros.

"Después subió al monte, y llamó a sí a los que él quiso; y vinieron a él. Y estableció a doce, para que estuviesen con él, y para enviarlos a predicar, y que tuviesen autoridad para sanar enfermedades y para echar fuera demonios" Marcos 3:13-15

La iglesia debe, por lo tanto, dedicar todo su tiempo y todo su esfuerzo a salvar almas, sanar enfermos y liberar a los cautivos, esto no es una opción, es un deber de la iglesia verdadera. Vemos en la actualidad la necesidad y la urgencia de liberar al pueblo de Dios del opresor. Es triste ver como muchas iglesias al no cumplir con la tarea encomendada por Dios se quedan cortas al momento de brindar ayuda a sus miembros. La iglesia verdadera que cumple la tarea encomendada por Jesús, es una Iglesia llena del poder de Dios para destruir lo que oprime y atormenta a su pueblo.

"El Espíritu de Jehová el Señor está sobre mí, porque me ungió Jehová; me ha enviado a predicar buenas nuevas a los abatidos, a vendar a los quebrantados de corazón, a publicar libertad a los cautivos, y a los presos apertura de la cárcel" Isaías 61:1

Jesús estuvo durante todo su ministerio enfocado en predicar el evangelio, sanar enfermos y liberar al cautivo; esto fue lo que Él nos modeló como la voluntad perfecta del Padre. Existe una responsabilidad y una urgencia inmensa para liberar aquellos que durante años han sufrido la opresión, familias enteras sumidas muchas veces en dolor y desesperación por no saber cómo lidiar con la opresión demoniaca en un familiar. Debemos saber que cuando Jesús libera a alguien, está liberando incluso a todas sus generaciones, porque a través de la liberación no solamente echamos fuera demonios, sino que también se rompen maldiciones generacionales y aquellas opresiones que se repetían de generación en generación quedan sin efecto; por lo tanto, las nuevas generaciones vendrán a este mundo sin opresión y sin ataduras. Cuando la Iglesia ocupa su lugar y cumple su propósito liberando al cautivo está liberando generaciones enteras para el Reino de Dios. Cada persona liberada por Dios es una persona que se encuentra en condiciones óptimas para ser instrumento de Dios para expandir su Reino en la tierra.

11

Requisitos para ministrar Liberación con efectividad

Todo creyente ha sido llamado a predicar la Palabra, sanar enfermos y echar fuera demonios. Si somos liberados de cualquier opresión, podemos estar disponibles para que Dios nos use para liberar a otras personas.

"Sanad enfermos, limpiad leprosos, resucitad muertos, echad fuera demonios; de gracia recibisteis, dad de gracia" Mateo 10:8

La liberación es un ministerio que debe estar establecido en la iglesia. Aunque todo creyente tiene la autoridad, existen ciertos principios que nos van a ayudar a ministrar liberación con efectividad:

• **Fe**

"(porque por fe andamos, no por vista)" 2 Corintios 5:7

Es nuestra fe en Jesús lo que nos permite pelear una batalla donde sabemos que mayor es el que está en nosotros, que el que está en el mundo. Necesitamos la fe para poder enfrentar el reino de las tinieblas. No nos guiamos por la magnitud de la opresión o por lo grande que sea el adversario, tampoco nos movemos en base a lo que vemos sino a lo que creemos. Nosotros admitimos lo que dice la Palabra, tenemos un Dios que está vivo y es todopoderoso, derrotó a Satanás y a todos sus demonios. Dios nos delegó su autoridad para que nosotros podamos en el nombre de Jesús echar fuera todo demonio que oprime a cualquiera de los hijos de Dios. Tenemos la autoridad delegada por Jesús, y a través del poder del Espíritu Santo podemos ejercer nuestra fe para llevar a cabo la tarea encomendada, predicar la palabra de Dios, sanar al enfermo y liberar al cautivo.

• **Identidad**

"Hijitos, vosotros sois de Dios, y los habéis vencido; porque mayor es el que está en vosotros, que el que está en el mundo." 1 Juan 4:4

La identidad de un creyente es primordial en el momento de enfrentar al reino de las tinieblas. Es a través de Jesús que hemos sido perdonados, justificados santificados y podemos ejercer una autoridad efectiva que destruya toda obra de maldad y de esclavitud. Si sabemos quiénes somos en Dios y estamos seguros que Dios nos salvó, nos perdonó y nos limpió, entonces estaremos firmes en nuestra verdadera identidad. Solamente así podemos ser instrumentos de Dios para liberar al cautivo.

• **Dependencia del Espíritu Santo**

"Porque todos los que son guiados por el Espíritu de Dios, éstos son hijos de Dios" Romanos 8:14

Solamente a través del Espíritu Santo, el creyente puede estar empoderado para poder resistir y confrontar al reino de las tinieblas. Es a través del Espíritu Santo que podemos tener revelación sobre el origen, estrategia, diseños y los movimientos que realiza Satanás en la vida de los creyentes para oprimirlos.

Dependemos del Espíritu Santo para tener revelación y poder para echar fuera toda influencia. La revelación nos permite identificar el origen de la opresión, por ejemplo: podemos ver en el mundo físico que existen síntomas de una opresión mental en una persona, pero es el Espíritu Santo quien nos guía hasta identificar que el origen verdadero son pensamientos de duda, que dieron lugar en la mente de la persona.

Nuestro trabajo como liberadores es depender del Espíritu Santo de manera que podamos entender su idioma, la manera como habla y lo que nos quiere decir, estar sensibles a su guía, de manera que podamos ser llevados al conocimiento de la verdad en un caso determinado.

"Entonces respondió y me habló diciendo: Esta es palabra de Jehová a Zorobabel, que dice: No con ejército, ni con fuerza, sino con mi Espíritu, ha dicho Jehová de los ejércitos" Zacarías 4:6

• **Sujeción a las autoridades**

"Someteos, pues, a Dios; resistid al diablo, y huirá de vosotros" Santiago 4:7

"Obedeced a vuestros pastores, y sujetaos a ellos; porque ellos velan por vuestras almas, como quienes han de dar cuenta; para que lo hagan con alegría, y no quejándose, porque esto no os es provechoso" Hebreos 13:17

En el mundo espiritual todo funciona en base a la autoridad, todo tiene que ver con respeto y sujeción. La verdadera jurisdicción que tenemos en el mundo espiritual no proviene de títulos o posiciones que los hombres adquieren, o nos puedan otorgar, sino que tiene que ver con una sujeción verdadera a las autoridades legítimas delegadas por Dios; es en esa sujeción a las autoridades donde ganamos autoridad para enfrentar el reino de las tinieblas. La rebeldía y la independencia se oponen al ejercicio de la autoridad. En el mundo espiritual, Satanás desconoce la autoridad de personas independientes o rebeldes. El no estar sujeto a una autoridad legítima delegada por Dios equivale a ser un vagabundo o ambulante.

"Pero algunos de los judíos, exorcistas ambulantes, intentaron invocar el nombre del Señor Jesús sobre los que tenían espíritus malos, diciendo: Os conjuro por Jesús, el que predica Pablo. Había siete hijos de un tal Esceva, judío, jefe de los sacerdotes, que hacían esto. Pero respondiendo el espíritu malo, dijo: A Jesús conozco, y sé quién es Pablo; pero vosotros, ¿quiénes sois? Y el hombre en quien estaba el espíritu malo, saltando sobre ellos y dominándolos, pudo más que ellos, de tal manera que huyeron de aquella casa desnudos y heridos." Hechos 9:13-16

Cualquier confrontación en el mundo espiritual donde necesitamos ejercer la autoridad que Jesús nos delegó requiere que estemos sometidos a nuestras autoridades; humildad y sometimiento alejan de nosotros la rebeldía y la independencia y esto nos permite ejercer la autoridad y liberar al cautivo efectivamente.

• **Santidad**

"Sino, como aquel que os llamó es santo, sed también vosotros santos en toda vuestra manera de vivir; porque escrito está: Sed santos, porque yo soy santo" 1 Pedro 1:15

La santidad es algo bíblico, totalmente posible de alcanzar con ayuda del Espíritu Santo. La santidad se consigue cuando estamos a cuentas con Dios, cuando practicamos el arrepentimiento y la confesión de nuestros pecados, y como resultado Dios nos perdona, nos limpia y libera.

"Lavaos y limpiaos; quitad la iniquidad de vuestras obras de delante de mis ojos; dejad de hacer lo malo; aprended a hacer el bien; buscad el juicio, restituid al agraviado, haced justicia al huérfano, amparad a la viuda. Venid luego, dice Jehová, y estemos a cuenta: si vuestros pecados fueren como la grana, como la nieve serán emblanquecidos; si fueren rojos como el carmesí, vendrán a ser como blanca lana" Isaías 1:16-18

Nuestra tarea será siempre buscar la santidad; perseverar en esta búsqueda una y otra vez, sin desanimarnos, porque es totalmente alcanzable y con ayuda del Espíritu Santo lo conseguiremos. Cuando ministramos liberación como requisito debemos buscar previamente estar a cuentas con Dios, sin nada pendiente ni escondido que Satanás pueda utilizar como un derecho legal para entorpecer la liberación. No somos perfectos, pero si podemos ser honestos delante de Dios, esto nos califica para llevar a cabo su tarea. El pasar tiempo en intimidad con Dios a través del ayuno, la adoración y la oración nos ayudará a que los deseos de nuestra carne sean crucificados y los deseos del Espíritu Santo cobren fuerza, estaremos también más sensibles a la guía de Dios. La santidad viene como resultado del tiempo de búsqueda de Dios.

• Posición de Justicia

"Si tú dispusieres tu corazón, Y extendieres a él tus manos; Si alguna iniquidad hubiere en tu mano, y la echares de ti, Y no consintieres que more en tu casa la injusticia, Entonces levantarás tu rostro limpio de mancha, Y serás fuerte, y nada temerás" Job 11:13-15

El ser humano por sí solo no puede generar luz, ni puede generar santidad, esto es resultado de una relación íntima con Dios. Con nuestra salvación comienza el proceso de despojarnos del viejo hombre, que sabemos de acuerdo a la Palabra, que está viciado conforme a deseos engañosos. Este proceso de santificación está en directa relación con el conocimiento de Dios y con la constante búsqueda de su Presencia. Conforme crecemos en nuestra relación con Dios y su Palabra a través del Espíritu Santo comenzamos a separarnos del pecado y a vivir vidas en santidad.

La posición de justicia es la búsqueda constante que el creyente hace a través de una autoevaluación para detectar cualquier área en su vida dónde está desviándose de la justicia de Dios. Una vez detectada el área donde estamos separados de la justicia de Dios, procedemos al arrepentimiento y buscamos el perdón de Dios, entonces por consiguiente nos posicionamos nuevamente en justicia y desde aquí podemos ejercer correctamente la autoridad que Dios nos delegó.

"El limpio de manos y puro de corazón; El que no ha elevado su alma a cosas vanas, Ni jurado con engaño. El recibirá bendición de Jehová, Y justicia del Dios de salvación" Salmo 24:4-5

• Amor

"Maestro, ¿cuál es el gran mandamiento en la ley? Jesús le dijo: Amarás al Señor tu Dios con todo tu corazón, y con toda tu alma, y con toda tu mente. Este es el primero y grande mandamiento. Y el segundo es semejante: Amarás a tu prójimo como a ti mismo. De estos dos mandamientos depende toda la ley y los profetas" Mateo 26:36-40

Es posible que cuando hablamos de liberación o echar fuera demonios se pueda pensar que todo se trata de fuerza. Adicionalmente al poder del Espíritu Santo, existe otro requisito en la liberación. Jesús nos enseñó que toda la ley se resume en dos mandamientos amar a Dios con todo nuestro corazón y amar a nuestro prójimo como a nosotros mismos. El amor es una muestra de la misma presencia de Dios. Si amamos a Dios con todo nuestro corazón le vamos a obedecer y si amamos a nuestro prójimo haremos todo lo necesario para sacarlo de cautiverio. El amor es un arma poderosa que Dios usa para liberar.

• Compasión

"Y saliendo Jesús, vio una gran multitud, y tuvo compasión de ellos, y sanó a los que de ellos estaban enfermos" Mateo 14:14

La compasión que sentía Jesús al ver las multitudes dispersas como ovejas sin pastor era la llave para manifestar el poder de Dios. Esta empatía activaba el poder del Padre para salvar, sanar y liberar. Vivimos en una época donde cada vez es más necesario depender del poder de Dios, y porque lo conocemos y sabemos su amor por los demás, no debemos caminar en esta tierra desentendidos del dolor ajeno ni del sufrimiento de las personas, sino más bien ser movidos por la piedad, para compartir y dar aquello que hemos recibido por gracia.

"Como el padre se compadece de los hijos, Se compadece Jehová de los que le temen" Salmos 103:13

• Vida de oración

"orando en todo tiempo con toda oración y súplica en el Espíritu, y velando en ello con toda perseverancia y súplica por todos los santos" Efesios 6:18

Jesús en su ministerio en la tierra dedicó mucho tiempo a orar y buscar la voluntad del Padre; su vida de oración dio como resultado un ministerio que salvaba almas, sanaba enfermos y liberaba a los cautivos. Solamente a través de la oración, y de la búsqueda intensa y constante de Dios podemos ser capacitados para ejercer efectivamente el Ministerio que Jesús nos encomendó.

Toda persona interesada en servir a Dios en la liberación debe tener una vida de oración intensa, apasionada y constante.

• Disponibilidad y deseo

"Porque el Hijo del Hombre no vino para ser servido, sino para servir, y para dar su vida en rescate por muchos" Marcos 10:45

Estar disponible para ser usado por Dios es un requisito de gran importancia. La disposición va más allá incluso de cualquier don o habilidad que una persona pueda tener. De nada sirve tener dones y talentos si no no hay tiempo disponible para servir a Dios; servirle a Dios y a su pueblo requiere un compromiso para disponer tiempo y muchas veces recursos. Este deber por parte del creyente es con Dios; decirle sí a Dios implica sacrificio y estar dispuesto a dejar muchas cosas a un lado.

El deseo, por otro lado, es algo que sabemos que es puesto por Dios, Él es quien pone en nosotros tanto el querer como el hacer. Esto es algo que podemos poner en oración, pedirle a Dios que ponga en nosotros mayor deseo para servirle.

"Con Cristo estoy juntamente crucificado, y ya no vivo yo, mas vive Cristo en mí; y lo que ahora vivo en la carne, lo vivo en la fe del Hijo de Dios, el cual me amó y se entregó a sí mismo por mí" Gálatas 5:20

"Ninguno que milita se enreda en los negocios de la vida, a fin de agradar a aquel que lo tomó por soldado" 2 Timoteo 2:4

12

Preparación y Entrenamiento

- ## Oración y Ayuno

"Cuando llegaron al gentío, vino a él un hombre que se arrodilló delante de él, diciendo: Señor, ten misericordia de mi hijo, que es lunático, y padece muchísimo; porque muchas veces cae en el fuego, y muchas en el agua. Y lo he traído a tus discípulos, pero no le han podido sanar. Respondiendo Jesús, dijo: !!Oh generación incrédula y perversa! ¿Hasta cuándo he de estar con vosotros? ¿Hasta cuándo os he de soportar? Traédmelo acá. Y reprendió Jesús al demonio, el cual salió del muchacho, y éste quedó sano desde aquella hora. Viniendo entonces los discípulos a Jesús, aparte, dijeron: ¿Por qué nosotros no pudimos echarlo fuera? Jesús les dijo: Por vuestra poca fe; porque de cierto os digo, que si tuviereis fe como un grano de mostaza, diréis a este monte: Pásate de aquí allá, y se pasará; y nada os será imposible. Pero este género no sale sino con oración y ayuno" Mateo 17:14-21

Nuestra vida de oración y ayuno, además de ser fundamental para mantener una relación íntima con Dios, nos permite estar en posición de lidiar con cierta clase de opresiones y demonios que solamente salen cuando hay ayuno y oración. Por esta razón, el orar y ayunar debe ser un estilo de vida donde buscamos de una manera real y viva a Dios. De igual manera debemos cuidarnos de patrones rutinarios en los cuales la oración se convierte en algo mecánico. Las cosas con Dios son reales, vivas y espontáneas, así debe ser nuestra vida de oración. El objetivo principal en nuestra búsqueda debe ser encontrarnos con Dios. El permanecer tiempo en su Presencia es lo que nos equipa para toda confrontación espiritual.

• **Lectura de la Palabra de Dios**

"Toda la Escritura es inspirada por Dios, y útil para enseñar, para redargüir, para corregir, para instruir en justicia, a fin de que el hombre de Dios sea perfecto, enteramente preparado para toda buena obra" 2 Timoteo 3: 16-17

La Palabra de Dios nos equipa para ejercer el ministerio de una manera correcta. A través de la Palabra de Dios recibimos todas las herramientas necesarias para combatir la mentira, el error y todas las estrategias de las tinieblas. Solamente a través de su Palabra y de su conocimiento profundo podemos establecer la verdad en cualquier circunstancia. En el ministerio de liberación necesitamos antes de echar fuera demonios estar capacitados para brindar a la persona que liberamos las herramientas correctas de la Palabra para que pueda recibir revelación en el área específica en la que estamos ministrando. Si la persona conoce la verdad, esta le hace libre.

• **Dependencia Espíritu Santo**

"El Espíritu del Señor está sobre mí, Por cuanto me ha ungido para dar buenas nuevas a los pobres; Me ha enviado a sanar a los quebrantados de corazón; A pregonar libertad a los cautivos, Y vista a los ciegos; A poner en libertad a los oprimidos" Lucas 4:18

Cada liberación es un reto, por esta razón, la dependencia del Espíritu Santo es esencial. Cualquier habilidad humana queda corta comparada con lo que tenemos que enfrentar en el ámbito espiritual en una liberación. El poder de Dios es absoluto, Dios es todopoderoso además de ser omnisciente y omnipresente: solamente a través del Espíritu Santo podemos encontrar la raíz del problema que está oprimiendo a una persona.

Es posible que una opresión sea consecuencia del pecado de la persona y es fácilmente identificable cuando la persona habla y abre su corazón, sin embargo, existen opresiones que son consecuencia de algún evento que sucedió en la infancia de la persona, posiblemente cuando estaba en el vientre de la madre o incluso existen opresiones que vienen de generaciones anteriores. En cualquier evento necesitamos una revelación del Espíritu de Dios para llegar a la raíz del problema. Necesitamos ser diligentes, pasar tiempo con Dios buscar su Presencia, buscar una intimidad con el Espíritu Santo para entender su lenguaje y así escuchar la dirección de Dios para nosotros y las personas a las que Él quiere liberar.

13

Procedimiento para ministrar liberación a otras personas

- Preparación, oración y adoración.

- Confirmar que exista seguridad de salvación en la persona.

- Confirmar que la persona acude a la sesión de liberación por su propia voluntad y existe un deseo real de ser libre.

- Permitir a la persona que hable y exponga toda circunstancia que está enfrentando, aquí podemos ayudarle haciendo preguntas para obtener información.

- Formar un análisis general en base a la revelación recibida previamente del Espíritu Santo en nuestro tiempo de oración, junto a la información que obtuvimos de la persona.

- Utilizamos el procedimiento completo:

  - Falta de Perdón

  - Rechazo

  - Iniquidad

  - Incredulidad y Perversión

  - Maldiciones

- Maldición por la caída del hombre
- Maldiciones generacionales
- Maldiciones auto impuestas
- Maldiciones por la crítica y el juicio
- Maldiciones por Anatemas
- Cautiverio
- Áreas adicionales
  - Corazón
  - Área física
  - Área mental
  - Área espiritual
  - Área sexual
- Oración por la Llenura del Espíritu Santo.
- Guiamos a la persona en cada punto del procedimiento al arrepentimiento.
- Llevamos a la persona en cada punto del procedimiento a renunciar y echar fuera cada influencia.
- Oramos echando fuera cada influencia mientras que la persona se limita solamente a respirar profundo.
- Oramos por la llenura del Espíritu Santo.
- Proveer a la persona herramientas a través de la Palabra de Dios para que pueda mantener su liberación, no solamente liberamos sino que le mostramos a la persona a través de la Palabra de Dios lo que debe hacer para cuidarse en cada área.
- Oramos cerrando la sesión, para descontaminar, y oramos

contra todo espíritu de venganza, muerte, enfermedad o accidente que quiera venir en contra de la persona o cualquiera de los liberadores.

- Realizamos un reporte y lo entregamos a nuestra autoridad.

14

Recomendaciones para Ministerios

- ## Implementación del Ministerio de Liberación en la iglesia local

"Y les dijo: Id por todo el mundo y predicad el evangelio a toda criatura. El que creyere y fuere bautizado, será salvo; mas el que no creyere, será condenado. Y estas señales seguirán a los que creen: En mi nombre echarán fuera demonios; hablarán nuevas lenguas; tomarán en las manos serpientes, y si bebieren cosa mortífera, no les hará daño; sobre los enfermos pondrán sus manos, y sanarán" Marcos 16: 15-18

Como sugerencia, el Ministerio de Liberación debe ser implementado en la iglesia local. Esto garantiza que los creyentes puedan encontrar una solución definitiva a muchos problemas que les oprimen. La iglesia que ofrece una solución real a través del poder de Dios es una iglesia que cumple su propósito y lleva a cabo la tarea encomendada por Jesús.

- ## Ministrar con un asistente

"Después llamó a los doce, y comenzó a enviarlos de dos en dos; y les dio autoridad sobre los espíritus inmundos" Marcos 6:7

El asistente es un ministro de liberación en entrenamiento, va a aprender todo el procedimiento de una manera práctica. Jesús escogió 12 discípulos a los que entrenó para que continuaran su obra, así tenemos que muchas veces Jesús les enseñaba a través de palabras y muchas veces les enseñaba a través de sus obras, es decir que los discípulos de Jesús tenían un conocimiento teórico y un conocimiento práctico de primera mano. Era más bien una impartición teórica y una impartición práctica del ejercicio correcto del ministerio.

El asistente cubre también el papel de testigo de todo lo que sucede durante la sesión, de esta manera los liberadores se cuidan de hacer algo fuera de orden o también se cubren de algo que el enemigo quiera levantar en su contra. Por la experiencia se sabe que este punto, aunque parece poco probable dado el territorio en el que los liberadores tienen que desempeñar su ministerio, es mejor tomarlo en cuenta y de esa manera cuidar su testimonio y sobre todo cuidarse las espaldas.

• **Ministrar a personas del mismo sexo**

Es recomendable que se ministre personas del mismo sexo. Debemos saber que, en una ministración de liberación, parte de la sesión se van a hablar cosas del pasado y cosas íntimas de la persona, por esta razón hemos visto que es más sencillo para una persona abrir su corazón a personas del mismo sexo. Además, durante una ministración de liberación hay muchas cosas que pueden suceder, es posible que la persona que está siendo ministrada necesite un abrazo, es posible también que la persona se caiga y debamos levantarla; todo esto nos lleva a tomar la decisión que lo más conveniente es ministrar a personas del mismo sexo. Hombres ministran hombres y mujeres ministran a mujeres.

- **La liberación es por gracia**

"Sanad enfermos, limpiad leprosos, resucitad muertos, echad fuera demonios; de gracia recibisteis, dad de gracia" Mateo 10:8

Lo que hemos recibido de Dios es por gracia, no existe nada que podamos hacer o pagar para recibir algo de Dios. Nosotros, bajo ningún punto de vista, podemos recibir algo a cambio de liberar a una persona, esto es por gracia. Jesús es nuestro mejor ejemplo y modelo a seguir, jamás vemos a Jesús en la Biblia cobrando dinero cuando sanaba enfermos o echaba fuera demonios, por esta razón bajo ningún motivo podemos sacar provecho económico de la necesidad de una persona. Dios nos libera a nosotros por gracia, de igual manera nosotros debemos ser instrumentos de Dios para que él pueda liberar a otras personas, también por gracia.

- **Ministrar en un lugar asignado por la autoridad**

"Entonces Jesús les dijo otra vez: Paz a vosotros. Como me envió el Padre, así también yo os envío" Juan 20:21

Creemos que es importante que el Ministerio de liberación tenga un alto grado de formalidad, esto trae orden. Con formalidad nos referimos al hecho de que cada persona que vaya a pasar por una liberación debe ser alguien que presente una solicitud a la autoridad respectiva; dicha autoridad debe asignar y enviar los liberadores que estarán a cargo de esa ministración, y también se designará el lugar y la hora en la que se va a llevar a cabo la misma. En todo lugar donde hay orden y sujeción a la autoridad sabemos que hay luz y el respaldo de Dios.

• **Ministrar con paciencia, amor y compasión**

Las sesiones de liberación por lo general duran varias horas. Existen varios puntos que hay que tomar en cuenta, no solamente está el hecho de entrar a una sesión y echar fuera demonios, aunque ese sea el objetivo. Cuando entramos a una sesión de liberación sabemos que vamos a dedicar tiempo a la adoración, a la oración, y a presentarnos, vamos a asegurarnos también de que la persona esté consciente de su salvación y en general que cumpla con los requisitos esenciales. Todo esto con la intención de asegurarnos que la persona esté en la posición adecuada para recibir aquello que Dios quiere hacer. Si por alguna razón la persona no está lista para recibir liberación, con mucha paciencia y amor, llevamos a esa persona a la posición correcta para poder recibirla. Con paciencia escuchamos, con amor hablamos y con compasión nos identificamos con el dolor de la persona; de esta manera permitiremos que el poder de Dios se manifieste a través de nosotros para sanar y liberar a la persona.

15

Fundamentos Bíblicos de la liberación

La liberación es un tema controversial, fácilmente podemos encontrar criterios contrapuestos, sin embargo, debemos remitirnos a la Palabra de Dios como la única fuente de enseñanza verdadera. Los evangelios están llenos de enseñanzas en el tema de la liberación. El ministerio de Jesús en la tierra estuvo enfocado en predicar la Palabra de Dios, sanar a los enfermos y liberar a los cautivos. Jesús es nuestro modelo a seguir, por lo tanto, la obra que Él empezó nosotros la continuamos.

Autoridad y poder total de Jesús para liberar

"Y Jesús se acercó y les habló diciendo: Toda potestad me es dada en el cielo y en la tierra" Mateo 28:18

Instrucciones para cada creyente (La Gran Comisión)

"Y les dijo: Id por todo el mundo y predicad el evangelio a toda criatura. El que creyere y fuere bautizado, será salvo; mas el que no creyere, será

condenado. Y estas señales seguirán a los que creen: En mi nombre echarán fuera demonios; hablarán nuevas lenguas; tomarán en las manos serpientes, y si bebieren cosa mortífera, no les hará daño; sobre los enfermos pondrán sus manos, y sanarán" Marcos 16: 15-18

Poder entregado al creyente

"He aquí os doy potestad de hollar serpientes y escorpiones, y sobre toda fuerza del enemigo, y nada os dañará" Lucas 10:19

Oración y ayuno refuerzan el poder y la autoridad

"Pero este género no sale sino con oración y ayuno" Mateo 17:21

Arrepentimiento - Requisito para la salvación, sanidad y la liberación

"Y saliendo, predicaban que los hombres se arrepintiesen. Y echaban fuera muchos demonios, y ungían con aceite a muchos enfermos, y los sanaban" Marcos 6:12-13

Liberación no se limita a un grupo determinado de personas, grupos o denominaciones

"Juan le respondió diciendo: Maestro, hemos visto a uno que en tu nombre echaba fuera demonios, pero él no nos sigue; y se lo prohibimos, porque no nos seguía. Pero Jesús dijo: No se lo prohibáis; porque ninguno hay que haga milagro en mi nombre, que luego pueda decir mal de mí. Porque el que no es contra nosotros, por nosotros es" Marcos 9:38-40

Liberación - Evidencia de que el Reino de Dios se ha establecido

"Más si por el dedo de Dios echo yo fuera los demonios, ciertamente el

reino de Dios ha llegado a vosotros" Lucas 11:20

Liberación - Se establece con la verdad

"y conoceréis la verdad, y la verdad os hará libres" Juan 8:32

Identidad del adversario

"Porque no tenemos lucha contra sangre y carne, sino contra principados, contra potestades, contra los gobernadores de las tinieblas de este siglo, contra huestes espirituales de maldad en las regiones celestes" Efesios 6:1

Objetivo del adversario

"Sed sobrios, y velad; porque vuestro adversario el diablo, como león rugiente, anda alrededor buscando a quien devorar" 1 Pedro 5:8

La armadura de cada creyente

"Por tanto, tomad toda la armadura de Dios, para que podáis resistir en el día malo, y habiendo acabado todo, estar firmes. Estad, pues, firmes, ceñidos vuestros lomos con la verdad, y vestidos con la coraza de justicia, y calzados los pies con el apresto del evangelio de la paz. Sobre todo, tomad el escudo de la fe, con que podáis apagar todos los dardos de fuego del maligno. Y tomad el yelmo de la salvación, y la espada del Espíritu, que es la palabra de Dios" Efesios 6:13-17

Satanás vs Jesús

"El ladrón no viene sino para hurtar y matar y destruir; Yo he venido para que tengan vida, y para que la tengan en abundancia" Juan 10:10

Protección a través del sometimiento a Dios

"Someteos, pues, a Dios; resistid al diablo, y huirá de

vosotros" Santiago 4:7

Autoridad en la Sangre de Jesús y en la palabra del testimonio

"Y fue lanzado fuera el gran dragón, la serpiente antigua, que se llama diablo y Satanás, el cual engaña al mundo entero; fue arrojado a la tierra, y sus ángeles fueron arrojados con él.

Entonces oí una gran voz en el cielo, que decía: Ahora ha venido la salvación, el poder, y el reino de nuestro Dios, y la autoridad de su Cristo; porque ha sido lanzado fuera el acusador de nuestros hermanos, el que los acusaba delante de nuestro Dios día y noche. Y ellos le han vencido por medio de la sangre del Cordero y de la palabra del testimonio de ellos, y menospreciaron sus vidas hasta la muerte" Apocalipsis 12:9-11

Autoridad a través de la cruz

"Y a vosotros, estando muertos en pecados y en la incircuncisión de vuestra carne, os dio vida juntamente con él, perdonándoos todos los pecados, anulando el acta de los decretos que había contra nosotros, que nos era contraria, quitándola de en medio y clavándola en la cruz, y despojando a los principados y a las potestades, los exhibió públicamente, triunfando sobre ellos en la cruz" Colosenses 2:13-15

Autoridad a través de la Palabra de Dios

"Y cuando llegó la noche, trajeron a él muchos endemoniados; y con la palabra echó fuera a los demonios, y sanó a todos los enfermos"
Mateo 8:16

Autoridad a través del Espíritu Santo

"Pero si yo por el Espíritu de Dios echo fuera los demonios, ciertamente

ha llegado a vosotros el reino de Dios" Mateo 12:28

Liberación es nuestro derecho y nuestra herencia

"con gozo dando gracias al Padre que nos hizo aptos para participar de la herencia de los santos en luz; el cual nos ha librado de la potestad de las tinieblas, y trasladado al reino de su amado Hijo" Colosenses 1:12-1

Promesa de liberación

"Y el Dios de paz aplastará en breve a Satanás bajo vuestros pies. La gracia de nuestro Señor Jesucristo sea con vosotros" Romanos 16:20

16
Conclusiones

Nos gustaría resaltar ciertos puntos que consideremos importantes de todo el libro:

La liberación está al acceso de todas las personas, es un regalo de Dios al cual accedemos por la fe, reconociendo a Jesús como nuestro Señor, salvador, sanador y liberador.

Toda opresión tiene su origen en el pecado, la maldad, la iniquidad y la perversión. Todo esto alimenta y da un derecho legal a Satanás y a sus demonios.

Debemos desear la liberación con todo nuestro corazón, reconocer nuestra condición y estar dispuestos a caminar en obediencia buscando hacer la voluntad de Dios. Mientras mayor sea el deseo, mayor será poder de Dios manifestado para hacernos libres.

El mundo espiritual es muy real. Las opresiones solamente pueden afectar nuestra vida por derechos legales que nosotros o nuestros ancestros otorgamos a través del pecado, maldad, iniquidad o perversión.

La ignorancia no exime de responsabilidad. Si de manera consciente o inconsciente se le da lugar a Satanás, él entrará para oprimir; su objetivo es robar, matar y destruir.

Las opresiones afectan a creyentes y no creyentes; la diferencia está en que los creyentes que tienen información y revelación pueden ser libres de toda clase de opresión gracias a Jesús.

Cuatro principios básicos para la liberación:

Identificación, Arrepentimiento y confesión, Renunciación y echar fuera, Llenura del Espíritu Santo.

Una vida de arrepentimiento es esencial. Dios no espera que seamos perfectos. Dios busca corazones dispuestos, que busquen vivir de manera correcta dependiendo del Espíritu Santo.

Mantenernos rectos delante de Dios y en obediencia nos guarda de las opresiones. El enemigo no puede entrar donde la presencia de Dios está y donde no se le da lugar.

La liberación es un estilo de vida y debemos saber que es un regalo de Dios para nosotros, lo recibimos por gracia y por gracia lo damos.

17
Bibliografía

Reina-Valera 1960 (RVR1960)
Versión Reina-Valera 1960 © Sociedades Bíblicas en América Latina, 1960. Renovado © Sociedades Bíblicas Unidas, 1988.